南無本師釋迦牟尼佛

宣公上人德相

慈悲普度信者得救成正覺

過化存神禮之獲福悟無生

The Venerable Master Hsuan Hua

His kindness and compassion cross over all; Believers are liberated and perfect the Right Enlightenment.
Transforming beings wherever he goes, his spirit remains intact;
Those who venerate him obtain blessings and awaken to the Unproduced.

一九九七年七月革新版

宣化上人開示錄（一）

出版　法界佛教總會
佛經翻譯委員會
法界佛教大學
記錄　佛經翻譯委員會

目錄

尋聲救苦念觀音 一
彌陀佛七開示 一一
什麼是佛法 一七
禪七開示 二一
金山聖寺的宗旨 二七
禪七開示 三一
禪七開示 三九
菩提達摩祖師來中國 四九
坐禪的姿勢 五三
參話頭 五六
參禪的境界 五九
參禪能控制生死 六四
修行要忍耐 六六
參禪是開悟的方法 七〇
妄想不斷不能開悟 七七
開悟要印證才算數 八〇
善惡不離一念心 八四
天竺取經的玄奘大師 八七
專一其心，用志不分 九三
禪堂是選佛的道場 九五

供養無心道人　九八
禪堂裡的規矩　一〇〇
要修無相的功德　一〇二
出家的因緣　一〇四
修道的六大宗旨　一二四
久參自然會開悟　一二七
修道不要爭第一　一二九
修道目的為成佛　一三二
停止你的妄想吧　一三四
入定不是睡覺　一三六
楞嚴經是偽經嗎　一三八
要修般若波羅蜜多　一四一
修道人不可打妄語　一四五
修道人要受苦　一四八
去妄心存真心　一五一
迷時師度，悟時自度　一五三
新年快樂來參禪　一五七
千錘百煉鍛金剛　一五九
亞洲弘法的感想　一六〇
參禪開悟要忍耐　一六二
四禪天的境界　一六四
參禪如龍養珠　一六六
金剛王寶劍斬妄想　一六七
靜極光通達　一六八

修行先要修智慧　一六九
出乎意料之外　一七〇
古德經驗之談　一七一
世界佛教的中心　一七二
禪七是考驗功夫　一七三
要供養無心道人　一七六
弘法如火中栽蓮　一七七
令人驚奇的怪事　一七九
修道不可錯因果　一八一
物以類聚　一八二
世界為何有戰爭　一八四
萬佛聖城中選聖賢　一八六
修行如同做生意　一八八
一增一減為一劫　一九〇
人死只有業隨身　一九二
業重情迷墮地獄　一九五
眾生教、人教、心教　一九七

尋聲救苦念觀音

一九七六年三月十五日至十六日
開示於觀音七

從無量劫以來，生了又死，死了又生，經過百千萬劫這麼長的時間，也沒有遇到過觀音法會，所以我們的習氣毛病絲毫沒有減少，而無明煩惱一天比一天多。現在既能遇到觀世音菩薩法會，這也可以說是在無量劫以前所種之善根，到今天才成熟，所以才能參加這樣微妙不可思議的法會。如果你沒有善根，沒有德行，是沒有機會讓你打觀音七的，所以要珍惜這七天的寶貴時間，不要打妄想，虛度光陰。如果儘打妄想，雖然參加這個法會，也等於沒有參加一樣，因為你不會得到什麼好處。

雖然這法會才開始兩天，但我知道有人已經見到菩薩、見到光……有種種不可思議的境界現前。又有人將要開五眼。所以沒有得到好處的人，應該生大慚愧；不要以為自己沒有得到好處，其他人也是這樣子——不是的。現在，在這如同大洪爐一般的金山聖寺的佛堂裡，把金子、銀子、銅、鐵、錫等，都放進爐裡燒煉，看看究竟是那一種最不怕火燒？所謂「真金不怕火」，金子在大洪爐中冶煉，越煉越光明，成色越好；銀子一煉，就會差一點；銅，更會差一點；鐵更是差得遠了。

金山聖寺，也可以說是沙裡濾金的工廠。誰想要真修行，就不能離開金山聖寺，想再找修行的地方，就不容易找了。金山聖寺裡的人，皆是有道心的修行人，縱使在極度艱難困苦的環境下，也要用功修行。

修道的法門，有八萬四千那麼多種。每一種法門，你都要明白一點，不要單單知道一種而已。若能每一種法門都知道一點，久而久之，就把所有的法門都明白了。單單只明白一個法門，就不容易體會佛法深如大海的境界。就好像愚人「以管窺天」，還以為天只有管口那麼大而已。你要是不用竹管子，且看天究竟有多大？所以學佛法，不要單單知道一種法門，應該法法皆通，法法皆明。現在打觀音七，是佛法中的一部分。你如果沒有修過這個法，就一定要來試驗一次，不要沒有試驗，就不修了。如果能圓滿打完這七天，對你身心定有好處。諸位千萬不要當面錯過，失之交臂！

菩薩是修六度萬行。六度中，第一是布施：自己要布施給其他人，不是要其他人布施給自己。第二是忍辱：現在是打觀音七的時候，就看你能不能忍。要是能忍，就能圓滿的打完觀音七。要是不能忍，就一天到晚打妄想。譬如：「我等一會要到某一間餐館去大吃一頓。」或者想：「我在此處念觀音，有什麼用？簡直是胡鬧，趕快跑！」這都是沒有忍。沒有忍的人，不能修道。你修坐禪也可以，念佛也可以，念觀音菩薩也可以，這都是一樣的法門，根本上沒有什麼分別。無論什麼法門，只要你有忍耐心，都會有所成就。你要是沒有忍，什麼法門也修不了。沒有忍耐心，常常覺得這樣也不對，那樣也不好，事事不如你的意。那麼，你能修什麼呢？道是沒有我見，沒有我執。如果有所執著，就永遠不能修道。有人說：「我要參禪。」你要參禪，更需要有忍辱心。第三是持戒：即「諸惡莫作，眾善奉行」。第四是精進：即不懶惰。第五是禪定：我們念觀世音菩薩，就是求觀世音菩薩幫助我們獲得禪定。第六是智慧：有了禪定，就生出智慧。所以六度是有連帶關係的。

有人說：「我喜歡專門修禪定。」那麼，我告訴你如何修禪定？就是一進入禪堂，不論怎麼樣，也不能出禪堂一步。有人說：「假如有病了，怎麼辦？」有病你就病，有病也要參禪！要是死了，怎麼辦？死了也不可以抬到禪堂外邊去。參禪的人死了，就把他的屍體放到空的坐單底下。縱使發臭了，也放在那兒，不往外抬。人死了，也不准出去。有人說：「那不等於監獄一樣嗎？」等於監獄？你難道不覺得你現在是在監獄嗎？每一個人都在監獄裡，不過你自己不知道而已。你的自性想出也出不去，想回來又不能回來。出去了，不能回來；回來了，不能出去，這是自由嗎？每個人的身體就是個監獄，只是你不了解。

我們現在坐禪，一進禪堂，就不准出禪堂的門口。誰一出去，香板就往頭上背脊打下去，這就是打七。打觀音七，也是一樣不准出禪堂。誰一出去，就要捱打。誰叫你來的？有人說：「我是看到公告，所以才來。」可是公告上面，並沒有寫來了就可以走。走，可以的。但是要付大家的伙食費，才可以走。否則是不可以走的。為什麼呢？因為你一走，旁人看你走，也跟著走了。你也走，他也走，大家都走了，這叫做破壞道場。為了避免你破壞道場的罪，你需要負擔大家的伙食費。如果你付不起，那就最好不要走！

你們各位都是有緣才到金山聖寺。要是沒有緣，連金山聖寺的門口也沒法子進來。既然是有緣，大家不妨作為觀音法會中的朋友。大家手拉著手，一起向前開步走。到什麼地方呢？到每個人心中想要到的地方。我們每一個人，都要幫助其他人。為什麼我要這樣說呢？因為我怕你們走錯路。

我們天天念觀世音菩薩，可是觀世音菩薩是什麼意思呢？「觀」是觀察世間所有的聲音。觀也是看，但不是向外看，而是看眾生的心，看那一位眾生的心沒有妄想。空了，就得到開悟。所以說「十方同聚會，皆共學無為。」十方的善男信女聚集在一起，共同修無為法。念觀世音菩薩，也是一種無為法，無為而無不為。這種無為法，就是叫你不要打妄想。你念「南無觀世音菩薩」，觀世音菩薩也念你，彼此互念。就好像你想你的親戚，你的親戚也想念你。我們和觀世音菩薩，從無量劫以來，就是法眷屬，法親戚。從什麼地方說起呢？從阿彌陀佛那兒論起。阿彌陀佛是西方極樂世界的教主，是觀音菩薩的師父。觀世音菩薩是幫助阿彌陀佛弘揚淨土法門的助手。

我們和觀世音菩薩就是法兄弟。觀音菩薩是還沒有生到極樂世界眾生的哥哥，而眾生是弟弟。如此說來，我們是很近的親戚，所以我們想念親兄弟，親兄弟也想念我們。我們是觀音菩薩的弟弟，觀音菩薩是我們的哥哥。有人說：「觀世音菩薩怎麼會是我們的哥哥？那我們不是太高攀了？」觀世音菩薩不僅拿我們當弟弟看待，也拿所有眾生當弟弟看待。否則，他為什麼要尋聲救苦？為什麼眾生有困難，他要幫助呢？因為他看一切眾生，有如手足一樣，是他的骨肉。所以他才不怕一切艱難困苦，而救度娑婆世界的受苦眾生」。所以各位不要忘了自己的法兄弟。我們念一聲「觀世音菩薩」，觀世音菩薩也念我們。我們叫一聲「觀世音菩薩」，裡面包含的就是哥哥。觀世音菩薩就叫一聲我們這些未來的菩薩，未來佛小弟弟。你要是能這樣看觀世音菩薩，更應誠心，更應親切地念自己的法兄弟，不要空過。不過，我們念觀世音菩薩，不要低著頭念，要抬起頭來，表示一種勇猛精進的精神，不要現出頹喪不振的樣子。觀世音菩薩看你這麼有精神，便即刻對你說：「快拉著我的手！」然後和你一起走向極樂世界。

又有人在打妄想：「觀世音菩薩怎麼一天到晚看看看？為什麼我就不可以看？」你的看和觀世音的看，有所不同。觀世音菩薩是看裡邊，你是看外邊。觀世音菩薩是看自性，他的自性和每位眾生都有電波。那個眾生在打什麼妄想，他都知道。他是往裡看他的電波，和你看的不同。因為有的眾生離他很遠，雖然他有千手千眼，但要看無量的眾生，也是不夠用，也看不過來。所以他要迴光返照，反聞聞自性，看看自性的眾生，那一個正在受什麼樣的苦？他就去救度這個眾生。可是你是向外看，把自己根本的智慧都忘了。所以你這個看，和他那個看，是不同的。

還有人又打另一個妄想：「法師啊！您講這個開示，我無論如何也不相信。為什麼我不相信呢？我們和觀世音菩薩是兄弟？可是觀世音菩薩是聖人，我們是凡夫。凡夫怎能和聖人稱兄道弟呢？這不合乎邏輯學，所以我不相信。」好，你不相信，你講的也是有道理，可是你這個道理，是屬於凡夫的知見。因為你沒有深入經藏，所以你的智慧不能如海。華嚴經上說：「菩薩作是念：『我與眾生無始以來，互為兄弟，互為父母，互為姊妹，互為夫婦。』」你說你不相信，是因為你不明白華嚴經的道理。再者，不但菩薩看我們是眾生；成佛之後，他看眾生，是男子皆是我父，是女子皆是我母。既然佛看眾生都是父母親，那麼我說觀世音菩薩看眾生是兄弟、是姊妹，這又有什麼不合理呢？你說你不相信，是因為你沒有這種智慧，沒有知識。要不然，就是你所見太少了，所以才變得那麼愚癡。我講什麼，你都不相信。

佛為什麼要度眾生？因為他看「是男子皆是我父，是女子皆是我母。」他的父母在六道輪迴中受苦，所以無論如何他也要度眾生，希望他的父母離苦得樂。

我們天天念觀世音菩薩，拜觀世音菩薩。可是觀世音現身在你面前，你又不認識。所以我們眾生是很苦惱的。什麼叫觀世音菩薩現身在你的面前，而你不認識呢?就是那個當面關，也就是你的考驗。你念觀世音菩薩，要學觀世音菩薩的樣子。觀世音菩薩是大慈大悲大願大力，我們念觀世音菩薩，也要學他的大慈大悲大願大力。無論誰對我們不好，我們都應該不動心。誰罵我們，我們都要忍。誰打我們，我們也要忍。甚至誰把我們殺了，我們也要忍，並且要認帳。為什麼要認帳?假如我往昔沒有罵過人，他也不會來罵我。我往昔沒有打過人，人也不會打我。為什麼有人罵我、打我、殺我?因為我往昔在愚癡的時候，也罵過人，打過人，殺過人，所以今生遇到這種境界，要把往昔所欠的債務還清了。以前不明白的時候，就好像賴債不還。現在明白了，就應該老老實實的承認這筆債務。我們能承認這筆債，就能見到觀世音菩薩，就和觀世音菩薩有真正法眷屬的關係。所以我們念觀世音菩薩，不要一見到人，就看別人的不對。你儘找別人麻煩，是自己苦未了，苦根未斷盡。所以各位要認識境界，徹法底源。學佛法，必須要會運用佛法。要是不會運用佛法，無論你修到什麼時候，佛法仍是佛法，你還是你自己。如果你會運用，那就和佛法打成一片，而不能分開。

忍，是最要緊，即是叫你忍你所不願意忍的事情。譬如我不願意挨罵，可是有人罵我，我都歡喜。我不願意挨打，可是有人打我，我更歡喜。我不願意被人殺，生命是很寶貴的，可是有人要殺我，這是了脫我一生的業障，是我真正的善知識。所以各位啊！學佛法要倒過來學，修道也要倒過來修。怎麼倒過來呢？就是你不願意的事，也要願意。可是你所不願意的事，也不是要你讓給旁人。

你要是和一般人一樣，看不破，放不下，我法二執不空，有我人眾生壽者四相，那麼麻煩就現出來。若能退一步想，那麼任何事自然海闊天空。

我們學佛法，不要往高深的地方去學。所謂「平常心是道，直心是道場」。用直心來修行。你念觀世音菩薩，不要存一種貪心。不要說：「我念觀世音菩薩，會發財。」這是辦不到的。你要是沒有貪心，反而會得到，一旦有這個貪心，反而得不著。你念觀世音菩薩，也不需要向外宣傳說：「我到某某地方打過觀音七，你沒有打過，你不如我。」不要打這種妄想，不貪名，不貪利，也不貪享受。念觀世音菩薩，就要平平常常的念，不要企求一切。不要像有人念觀世音菩薩，說：「我沒有兒子，要求觀音菩薩給我兒子。」有人又要求個女兒。有的男孩子，念觀世音菩薩是為求得一個美麗的女孩子。有的女孩子，就要求得個男朋友——這是不可以的。念觀世音菩薩，應該把這些骯髒的念頭去除，不要有貪瞋癡的心。譬如天天穿衣，不要管它好不好，只求其不冷就可以了。天天吃飯，也不要有一種貪美味的思想。要是有這種妄想，那你就沒有真心念觀世音菩薩。要是真心念觀世音菩薩，怎麼還會想吃好？穿好？早已經把什麼都忘了。什麼都忘了，才能和觀音菩薩合而為一。我們每位眾生的心裡，都有一位觀世音菩薩。你現在所念的，是念自己心裡的觀音菩薩。有人說：「我向心裡找，怎麼連個心都沒有？」如果你連個心也沒有，那就不要念觀世音菩薩了。因為那就是觀世音菩薩。觀世音菩薩就是沒有心，他不打一切妄想，沒有貪瞋癡。他也不計劃今天要穿好的衣服，或吃一點好的東西，享受一點好的供養。他是一切無著，一切不求。他所做的是度眾生。他願一切眾生離苦得樂，了生脫死，成佛道，而無所求於眾生。他希望眾生能真正明白佛法，沒有貪瞋癡。我們念觀世音，不要一天到晚打妄想：「早上沒有吃東西，晚上又沒有茶喝，這太苦了！受不了，快跑！」這真是沒有出息的修行人！

彌陀佛七開示

一九七九年冬
講於萬佛聖城

娑婆世界的人，都喜歡快樂，不喜歡苦惱；地獄的眾生，喜歡苦惱，不喜歡快樂；餓鬼喜歡瞋恨，不喜歡慈悲；畜生道喜歡愚癡，不喜歡有智慧，所以牠才跑到畜生道去。

我們雖說喜歡快樂，不喜歡苦惱；但卻不知道怎樣才能沒有苦惱；天上的眾生，也是喜歡快樂，不喜歡苦惱。

在佛和菩薩的境界上，沒有苦惱，也沒有快樂，苦樂俱忘。眾生多數是顛倒，以是為非，以非為是，將黑作白，將白作黑。究竟他知不知道這是顛倒呢？知道的，雖然他知道，他仍然去做不對的事；明明知道不合法的，他專門去做；知道什麼是對的，他卻不去做。

譬如，念佛時去喝茶。喝茶有特別時間，不是隨時隨地可喝。用念佛的時間去喝茶，是躲懶偷安。念佛念的倦了，便去喝一杯茶休息休息，懶惰一下。若要真心念佛，怎會想起去喝茶？早就把喝茶忘了。何況喝牛奶？什麼都忘了。真正在念佛，吃飯了沒有也不知道，更何況喝茶？

有人說念佛太危險了，連飯也不知道吃了沒有，這就是功夫。真正用功的人，吃飯沒吃飯他不知道，穿衣沒穿衣也不知道，睡覺沒睡覺也不知道——什麼都忘了。是白天？不知道；是黑夜？不知道。上不知有天，下不知有地，中不知有人，一切都空了。一切都空了，怎會想起要喝茶，要喝牛奶？

金山聖寺的恆順法師便不敢喝牛奶。一喝牛奶，慾念便高升，他控制不住，於是不敢喝。我們吃東西只為維持生命，以食物作藥品。不吃東西會死亡，所以吃一點維持生命；並不需要什麼營養的食物來滋補身體。營養一多，麻煩就大了。修念佛法門，就要時時刻刻都在念這一句「南無阿彌陀佛」，沒有停止的時候。醒時也念，睡覺時也念。這一句「南無阿彌陀佛」六字洪名拉也拉不斷，扯也扯不斷，用劍斬也斬不斷。它的力量，比鑽石還堅固。你沒有任何方法能破壞這句「南無阿彌陀佛」這才叫做念佛三昧。

念佛是這樣，念經也是這樣，持咒也是這樣。在這情形之下，想打妄想也打不起來。修行並不容易的，看果真（三步一拜的恆實法師），為什麼他發願不喝牛奶？因為他知道牛奶的厲害。一喝牛奶，便有一股牛性；牛性來了，比老虎還要厲害。

凡是對身體有營養的東西，你若不缺，身體若不虧，都不能用的。用了，就有很多麻煩，所謂「過猶不及」，太過和不及都是不好的。

娑婆世界的眾生，一舉一動，都是貪、都是瞋、都是癡。世間法，他用貪瞋癡去修行；出世法，他還是用貪瞋癡去修行。修行，他貪著開悟。坐了兩天半禪，想要開悟；修了兩天半法，想要有神通；念了兩天半佛，便想得到念佛三昧！你看這貪心多大，都是貪心鬼的表現。

修行，要把它看作各人的本分。不需要貪，久而久之，功德自會圓滿，菩提果也會成就。本來應該成功的，貪多卻嚼不爛，吃飯要一口一口吃，把一碗飯統統塞到嘴裡去，擠到口裡一點地方也沒有，你說怎樣吃？嚼也嚼不動，更嚥不下去。吃飯是最簡單的比喻。這叫「貪多嚼不爛」。

修行要行所無事，不要有貪心，不要我想如何如何？我想開悟，我想得神通了。那會這樣快？把種子種到地下，要等它慢慢長出來；時間到了，它自然成熟。古人說鐵杵磨成綉花針，功到自然成，但你不要怕費事。時間久了，自然會磨成針。所以修道，就要去毛病。什麼是毛病？你喜歡喝茶，這是毛病；喜歡喝牛奶，這是毛病；喜歡打妄想，也是毛病。如果一切貪圖自在，用功便不相應。用功，是不怕苦、不怕難、不怕疲倦，才會有成就。

這裡要向你們諸位道歉！因為我喜歡說笑話，所以你們胖的人，聽我說了以後，不要急著去減肥。要不然又頭上安頭，弄出很多麻煩來。

全世界都充滿天災人禍，黯淡無光。這表示人類的生命都有危險。這種殺人的戾氣，前所未有。我們知道的有原子彈、氫氣彈、核子武器，現在還有雷射。這些殺人的利器，一旦使用起來，人類可能同歸於盡。所以，時到今日，惟有依照佛法修行，才能消滅災禍於無形。

全世界充滿黑氣，黑業瀰漫。那個地方真有修行人，那個地方的災難便少一點。若遇很多人聚在一起修行，共同的力量，便能消災化劫，無形中把暴戾之氣，改為祥和之氣。但必先要腳踏實地，躬行實踐，依照佛法修行。

大家拿出真心來念佛。念一句佛，虛空裡便有一度光明。若能懇切至誠地念佛，這光明便徧照三千世界，令三千大千世界的空氣化為吉祥，把染污、暴戾、災難的空氣改變過來。

萬佛聖城是世界上最光明的一個地方，因為萬佛放光，偏照寰宇。你在萬佛聖城，就是打妄想，比起在世界上做最大的功德，還有功德。為什麼這樣說？因為萬佛聖城的人，人人向善，就是打妄想，多數打善的妄想，很少打惡的妄想。所以萬佛聖城，可以說是世界的太陽，世界的月亮，偏照大地，令一切眾生普獲清涼。

所以住在萬佛聖城的人，皆是往昔種諸善根，發過願，願意改造這個世界，令世界的災難，化為烏有。因此，在萬佛聖城的人，一舉一動，一言一行，都要往正確的去做。不要同流合污，不要像一般人。萬佛聖城裡的住眾，都是很善良的人；若有劣性眾生，早晚他不能存在，早晚他會自己遷單。

萬佛聖城，在西方從地湧出，將來全世界所有的佛教徒，聚會一起，共同在此地修行，共同研究佛法。令佛教發揚光大，既然能在萬佛聖城出家修道，將來一定會成佛。為什麼？所謂「近水樓臺先得月」，你先到了萬佛聖城，會先得道。後來的，便會晚一點。

有些人來到萬佛聖城，覺得住不下來，因為他們感到這城市沒有很多活動，很呆板，沒有很多娛樂。但你應該知道，只向外求娛樂，反把你真正的快樂耽誤了。在這世界裡，要找假的，會把真的丟了；要找真的，先要放下假的。不能又想修出世法，又放不下世間法。腳踏兩頭船，又要到江北，又要過江南，是辦不到的。

現在打佛七，要一門深入，憑著真心、誠心、虔心，修念佛法門，不要空過一時一刻。要知道一寸時光，一寸命光，不用功，便增長罪業；真用功，便增長善根。要老老實實地念佛，才不致浪費光陰，生命才有點價值。

什麼是佛法

什麼叫佛法？佛法，就是世間法；不過是世間人所不願意行的法。世間人忙忙碌碌、奔奔波波，出發點無非是自私，是為了保護自己的生命財產。而佛法，是大公無私，是為了利益他人。學佛法，一舉一動都要為他人著想，把自我看輕了，捨己為人，不令他人生煩惱——這就是佛法。一般人往往對於這一點認識不清楚，所以在佛教圈裡爭爭吵吵、煩煩惱惱、是是非非，跟一般世俗人沒有兩樣，甚至有過之而無不及。一邊學佛，一邊造罪業；一邊立功，一邊損德。這樣，對佛教不但沒有利益，反而有大害。這就是佛所說的：「獅子身中蟲，自食獅子肉。」身為佛弟子，在佛教裡這麼自私自利，看不破，放不下，怎會與佛法有所相應？

學佛的人要：

「真認自己錯，莫論他人非，

他非即我非，同體名大悲。」

要徹底瞭解佛教的真理，自己必先要修忍辱、布施，才能有所成就。必要「翻過來」，即是與世俗人不同，不要同流合污。修道，就是要「倒過來」——什麼意思呢？即是「好事給他人，壞事予自己。」捨棄小我，完成大我。

你們皈依我的人，都是我身上的血和肉。無論把那一塊肉割去，都是很痛的。無論那一個地方流血，元氣都會受損傷的。因此你們要互相團結。為了要使佛教發揚光大，便要吃人所不願意吃的虧，受人所不能受的侮辱。心量要放大，行為要真實。如果不向真的去做，佛菩薩是知道的。不能欺騙佛菩薩。大家要檢討己過，痛改前非，真正認識自己以往的顛倒、不合理的作風。要老老實實，忘記自己，而為整個佛教、整個社會服務。本來，在世界上，無論那一個團體，那一個社會，都是錯綜複雜，互相勾心鬥角。在金山聖寺、萬佛聖城、金輪聖寺，以及隸屬法界佛教總會下的所有道場，都要把這種情形改善。當然，不能立即改得圓滿，但也要一步一步地去做。改到最圓滿、最徹底、最究竟的地步，然後，還要念茲在茲，保存這種良好的行為、志願，去推展佛教，令佛教發揚光大。這是每個佛弟子應有的責任。佛教若不興旺，乃是因為我本人沒有盡到責任。不要把責任推諉到他人身上。若能這樣，不久的將來，佛教一定能發揚光大，推行到世界每一個角落！

身為佛弟子，天天求佛庇佑，不外求佛幫助我，或者助我發財，或者助我升官，或者助我開智慧——只知道求佛幫助自己，但沒有想想我們對佛教有什麼貢獻？是不是拿出真心來？就在這處要常常迴光返照。皈依時發菩薩四宏誓願：

㈠眾生無邊誓願度。問問自己：我度了眾生嗎？若度了，不妨再多度一點。若沒有度，便趕快發心度眾生。

㈡煩惱無盡誓願斷。煩惱是無窮無盡的，但要把它反過來，化為菩提。反過來沒有？若還沒有，則快點把它反過來。

㈢法門無量誓願學。自我檢討：有沒有學佛法？有沒有為佛教出點力？是不是學了死死板板的佛法，不懂得活用，一日曝之，十日寒之？

㈣佛道無上誓願成。天下間沒有比佛道更超脫、更究竟的法門。我有沒有真正發願去成佛？不但是自己成佛，還要度一切眾生成佛！

且看，釋迦牟尼佛往昔「三祇修福慧，百劫種相好。」為半句偈而捨生命，這種精神是多麼偉大！為法之誠，多麼高超！大家要效法這種精神。在洛杉磯的金輪聖寺，我每個月去一次，差不多有三、四年了。我覺得你們每個人沒有從佛法得到真正的利益，沒有真正體會到佛法偉大的精神。還是把自己劃到佛法的外邊去，未能深入。要想佛教興盛，首先要從自己身上做起，要獻出真心，為佛教犧牲、努力，不要在小圈子裡混。應以法界為體，虛空為用，「應無所住而生其心」，每個人果真能這樣，那麼佛教就會發達。

禪七開示

一九七四年一月
講於三藩市金山聖寺

法界佛教總會，成立於一九六八年。該會的前身，就是佛教講堂。自成立之後，每年都舉行佛七和禪七數次。但是，都在無聲無息中過去了。很少人知道法界佛教總會所屬的金山聖寺在打佛七或禪七。因為我們對外不宣傳，不攀緣，而是老老實實在修行。如有人知道願意來參加，我們歡迎之至！但是我們絕對不到外邊化緣，叫人幫助，對人家說：「我們金山聖寺在打禪七，有一些無心道人在修行，你們應該來供養，則功德無量。」我們從來就沒有做過這樣的宣傳。

在中國打佛七的時候，善男信女所樂捐的功德香油錢，足夠道場一年的開銷，有時還有盈餘。在打禪七時，有很多善士發心供養而結緣。這個法緣，源源而來，米、麵、油、醬等等收入很多。在美國，佛教剛開始，一切要往好的方向去做，要將過去的陋習剷除，所謂「好的開始，就是成功的一半」。我們不採取任何方法來化緣，因此這種緣就沒有了。如果會用方法，也許會化得更多。

我們為什麼不去化緣？因為我們要老老實實認真修行，聽佛菩薩的安排。佛菩薩和天龍八部護法善神，看我們用功修道，自然會有感應，如果我們不認真修行，就是有人來供養，也該生大懺悔心。所謂「三心不了水難消，五觀若明金也化」。我們要是存有過去心、現在心、未來心，這三種心不能了，那麼，施主即使只供養一杯清水，也難消受。如果能把五觀的道理明白了，就是吃金子（金譬如珍貴的食物），也能消受得起。

什麼是五觀？①計功多少，量彼來處。②忖己德行，全缺應供。③防心離過，貪等為宗。④正事良藥，為療形枯。⑤為成道業，應受此食。

今天（一九七四年一月六日）晚上開始打禪七。我們金山聖寺的禪七，和中國各大叢林的禪七不同。他們打禪七是打食七，在晚上一定要吃麻油包子。就是鎮江的金山寺和揚州的高旻寺也不例外。有很多禪和子，專到有麻油包子吃的寺廟去打禪七。那個地方包子好吃，就到那裡去打禪七。他們不選擇寺廟而選擇包子的大小，所以有的寺廟以麻油包子又大又香為號召。並不是我誹謗出家修道人，放不下吃——的確是如此。

我們金山聖寺沒有吃麻油包子的規矩，就是小吃也沒有。在中國打禪七時，有很多居士來供眾，這一枝香，你供養四個桂圓；那一枝香，他供養兩塊花生糖、或者餅乾、或者鍋粑。總之，每枝香，都有人來供養。令無心道人生出貪吃的心來，吃得肚子滿滿的，無法靜坐。我們這裡只能喝點牛奶或清茶，或者水果汁，喝點咖啡，或者可口可樂，其他一概免除。所以我們和他們不同。

我們從早晨兩點三刻鐘開始行行坐坐，坐坐行行，到晚上十二點鐘休息。我們是修苦行，是苦幹、是苦煉，行人所不能行的事情。但是，如果不將生死二字掛在眉梢上，反覺得睡眠不夠，坐在那裡，正好入睡覺三昧；如果是這樣子，永遠不會有所成就。

我們要捨死忘生來打禪七，要認真用功打七，必須要得到自己應得的才受用。不要隨波逐流，看人行我也行，看人坐我也坐，看人睡我也睡，這樣是不可以的。浪費時間，對自己無益。

我在過去曾經參加幾個地方的禪七，在任何地方都沒有被監香者打過香板。為什麼？因為我不睡覺。白天在禪堂裡坐，夜間也在禪堂裡坐，一天二十四小時都坐在禪堂，也不知道什麼叫休息？什麼叫睡眠？就是一秒鐘的時間，也不隨便放過去，時刻用自己應該用的功夫，時刻把功夫提起來。

你們各位都是善根深厚的人，都是聰明有智慧的人，應該把這事情看重，不可敷衍了事。尤其今年的禪七，一定要有人開悟。如果沒有人開悟，等打完禪七，每人要打一百香板。你們覺得能受得了一百香板的話，就不要開悟。要是覺得受不了，那麼，就要開悟。假設有人害怕被打香板，現在還沒有開始打禪七，可以退出。既然參加之後，一定要有始有終，不可退出。禪堂的規矩，是已經告了生死假。就是有人死了，只能將屍體放在坐單底下，不許往外抬，況且又沒有人死，更不可隨便退出去。

我們這裡要立生死的門庭，不是生就是死，不是死就是生。「捨不了死，就換不了生；捨不了假，就成不了真。」這是金山聖寺的門庭。所以今年的禪七，大家要努力再努力，無論如何，要認清自己的本來面目。如果不認識自己的本來面目，那麼，誰也不要想走出金山聖寺的大門，就把你關在監牢裡，這是今年大概的規定，希望大家遵守規矩。

現在開始打禪七（一九七五年九月）。在禪堂裡不念佛，在念佛期不參禪。現在是坐禪，行也是禪，坐也是禪，站也是禪，臥也是禪。總之，行住坐臥都是禪。從前參禪人，沒有什麼念頭，這叫無念。所謂「一念不生全體現，六根忽動被雲遮」。參禪就是參一念不生。到了明朝以後，就採用參話頭。現在所有的禪堂，都是參話頭。話頭有很多種，有的參「念佛是誰？」有的參「父母未生以前的本來面目。」有的參「如何事沒有了？」等等。

參禪就是不打其他妄想。譬如參「念佛是誰？」總想念佛是誰？其實這也是妄想，但是用一個妄想來控制一切妄想，這是以妄制妄，以毒攻毒的辦法。甚至於念「阿彌陀佛」，也是以妄制妄。就是念佛這一念，也是不對的。參「念佛是誰？」這一念，也是沒有的。但由這一個妄想就能把其他妄想都制住了。這是參禪的一個道理。

參禪的人，「佛來佛斬，魔來魔斬」，不執著在一切境界。參禪參到「上不知有天，下不知有地，中不知有人，外不知有物，內不知有心」。到這個時候，與法界合為一體，才能豁然開悟。切記！不要被聲塵所轉，東望西看，心不專一。參到無人、無我、無眾生、無壽者四相的時候，便能把生死的根本斷了。面見釋迦牟尼佛，才知參禪的好處。

從無量劫以來，一直到現在，才幸運遇到打禪七的法門。一定要特別專一，懇切至誠，好好用功。不要把寶貴的光陰空過，不要打好吃好衣好住的妄想。所謂「一寸時光，一寸命光」，時光和命光一樣的寶貴。古人云：「一寸光陰一寸金，寸金難買寸光陰。失落寸金容易得，光陰過去難再尋」。這是說一般的光陰，就這樣的寶貴；何況在打禪七時間的光陰，更為寶貴。不知在那一分鐘？或那一秒鐘？便是開悟的時候，所以分秒必爭，不可空過。希望參加禪七的各位！要勇猛精進，不可放逸。要忍一切苦，才得一切樂。忍人難忍，受人難受，這才是修道的精神。

金山聖寺的宗旨

金山聖寺是法界佛教總會所屬的機構，以前叫佛教講堂，在三藩市中國城一棟小樓房的四樓。第一個暑假班（一九六八年）在那裡開班。當時有很多人從西雅圖來參加，為期九十六天。功課很忙，每天沒有休息的時間，只有星期六放半天假時，有的洗衣服，有的做私人事。楞嚴經就在那時講的，計劃在暑假班期間講完。最初每天講一次，講了一個時期，感覺時間不夠，於是增加一次，每天講兩次。後來又怕講不完，再增加一次，這樣，每天講三次，到了最後，每天講四次。在這個暑假班期間內，勉強將這部楞嚴經講完，功德圓滿，迴向眾生。

楞嚴經講完之後，就有五位美籍青年出家（三位比丘，二位比丘尼）。這三位比丘，現在有兩位到香港，一位到西雅圖。這兩位比丘尼，現在還在金山聖寺。這是美國最先有人出家，受具足戒的開始。

以後每年都有暑假班，繼續有很多人來學習佛法，也有人出家作比丘和比丘尼。雖然人數不多，但是金山聖寺的宗旨，重質不重量，只要實實在在修行，研究佛法，就是一個也不算少，何況不止一個。

金山聖寺出版一本英文雜誌，定名為金剛菩提海，是月刊，刊登佛法要義，令西方人曉得佛法的來龍去脈，而對佛法有個正確的認識，不再誤解佛教是迷信，是崇拜偶像，是消極悲觀者，是社會的寄生蟲。令一般人知道佛教是自由平等，沒有種族、國籍、地域的界限，一律是佛弟子，以提倡世界和平為目標。佛教從有史以來，沒有發生過戰爭，因為佛教的戒律，第一條就是不殺生，不但不殺人，就是其他的動物也不殺，而且還要放生，保護一切動物的安全，所以沒有戰爭。

金山聖寺是在沙裡找金，若是金子，來到金山聖寺，等於回到自己的家裡。雖然不講話，但是讀書很方便，沒有人來打閒岔。天天研究佛法，這是很好的環境。美國人很多，但真正發心來到這裡研究佛法，來聽經學法的有多少？所以成佛是一個一個成的，不是一群一群成的。世界上無論什麼，都是以少為貴。我們金山聖寺研究佛法的人數雖不多，但在這世界上卻是最貴重的，將來各位把佛法學會了，都可以到各處去弘揚佛法，利益眾生。令一切眾生早成佛道，這是我對各位的期望。

這次來參加暑假班的人，每一位必須要遵守時間，不要浪費光陰，中國有句名言：「一寸光陰一寸金，寸金難買寸光陰」。所以時間是最寶貴的，最重要的。

今年暑假班的同學，在這裡要努力學習佛法，不要把寶貴的光陰空過去，一定要學點真正的道理。

現在有一件事情，想對各位說一說。本來我不想說但是不能不說。什麼事情？就是出家人一定要尊重自己，不要把自己看得太低賤，又不可以貢高我慢。要時時刻刻反省和檢討。有過改之，無過勉之。絕對不可散漫，不可放逸。你們大家既然跟我出家學道，凡是我所見到的，一定要講出來，糾正你們的毛病。如果不講，那是我對不起你們各位。我將所見到的事說出來之後，你們聽不聽？改不改？那是你們個人的事。我把做師父應負的責任盡到，問心無愧。你們可不要墮地獄的時候，才來埋怨師父。「啊！我師父當初為何不嚴教？如果好好教我，我怎會墮地獄？」

現在我把要說的話說出來。出家人切記切記！不可干涉別人的自由，不要影響別人的行動。自己不修行，不要妨礙他人修行。自己不持戒，不要妨礙他人持戒。自己不修德行，不要妨礙他人修德行。如果有這種思想和行動的人，一定要糾正過錯，改惡向善。出家人，時時刻刻自己管自己。一舉一動，一言一行，都要合乎戒律，不荒唐，要認真。不可隨隨便便，所謂「無規矩不成方圓」。所以佛在入涅槃時，告訴阿難尊者說：「以戒為師。」這是出家人的座右銘。

我們在吃飯的時候，要有三念五觀。「施主一粒米，重如須彌山。吃了不修行，披毛戴角還」。這是多麼危險？所謂「袈裟底下，失去人身」。所以出家人處處要嚴守戒律。我們在生死未了的時候，慾心未斷的時候，時刻不能懈怠，處處不能馬虎。所以普賢菩薩說：「是日已過！命亦隨滅，如少水魚，斯有何樂？」又說：「大眾！當勤精進，如救頭然。但念無常，慎勿放逸。」

我們出家人，一分一秒也要愛惜。所謂「一寸光陰一寸金，寸金難買寸光陰」。光陰如此的寶貴，不可浪費時間。每人要用功修行，精進再精進，才能有所成就。凡是用功修行的人，沒有時間說話，沒有時間打閒岔。關於這一點，我希望每個人都要注意。我見到不修行的人，非常痛心。你們豈不是辜負當初出家時所發的願嗎？這種口是心非的出家人，焉能為僧寶？盼望各位自己尊重自己！

禪七開示

禪宗這一門，是直指人心，見性成佛的法門，也就是頓教。頓教是由漸教勤修而成的，所謂「理可頓悟，事須漸修」。我們現在行住坐臥，就是漸修。等到有一天，真正明瞭，豁然開悟，就是頓。頓也沒有離開漸，漸也幫助頓。一般修行人，他修什麼法，便說什麼法是最好的，是第一的，要不是第一，他就不會喜歡它，也不肯去修行。你要是真明白，一切法都是佛法，皆不可得，便沒有什麼可執著的。

打禪七是調身調心。調身：令身不亂動；調心：令心不打妄想，常常清淨。心能常清淨，則盡虛空徧法界都在自性裡邊。自性是無所不包，無所不容，也就是本來的佛性。

我們從無量劫以來，生生世世，世世生生，都被邪知邪見迷染得太深了，所以不容易明心見性。因為這個原因，所以要打禪七。打七叫剋期取證，定下一個時間，在這個時間之內，一定要得到好處。在用功方面，一定要求個明白。你要想真正明瞭，首先要學一個不明瞭。在禪堂裡用功，用的是什麼功？不知道。上不知有天，下不知有地，中間不知有人。從早上到晚上，做的是什麼事？不知道。吃的是什麼飯？不知道。穿的是什麼衣？不知道。就是昏昏沉沉，什麼也不知道。這叫「養成大拙方為巧，學到如愚始見奇」。就是說養成世界上最笨拙最愚癡的人，這時便會生出巧妙來。此時，一通一切通，一了一切了，一悟一切悟。都通了，都明白了，徹底的開悟了。學到什麼？也不知道，好像傻子一樣。可是，就在此時，奇怪的事便出現了。

打禪七，就是要把你那些小聰明小智慧都收起來，不要覺得自己什麼都明白，什麼都懂。如果你覺得什麼都明白，你就是沒有真正明白佛法的人。所謂「大智若愚」，外表看來，好像什麼都不知道，可是心中什麼都明白，也就是小事糊塗大事明白。這種人，才有大成就。

我們在禪堂裡，人家跑就跟著跑，人家坐就跟著坐，東西南北都不知道。這時候，才能轉過身來，真正的明白，真正的了解。明白什麼？明白自己的本地風光。了解什麼？了解自己的本來面目。

在禪堂裡，要用功修行，少說廢話，不要浪費時間。所謂「一寸光陰一寸金，寸金難買寸光陰」。坐禪確實是這樣寶貴，不知在那一分鐘就能開悟，所以要分秒必爭，任何時間也不能放過。假若到廁所去，方便之後，即刻回到禪堂，繼續打坐；到齋堂去，吃完飯之後，立刻回到禪堂打坐；喝完茶之後，即刻回到禪堂打坐。總而言之，不放棄開悟的機會。不知那個時候，就是開悟的時候，換言之，行香、跑香、跑香、坐香，都是開悟的良機，不可錯過！

清朝的雍正皇帝，某次召高旻寺老和尚天慧禪師到北京去，與他談論禪理，問他還識玉琳國師的宗旨嗎？他沒回答。皇帝便命他在宮中的禪堂坐七天，一定要參出答案來。否則，要斬他的頭。在六天之內，他參不出究竟的答案。最後一天，急得他跑禪堂，跑來跑去跑昏了頭，撞在大柱上，頭上起了一個大疙瘩。這回清醒了！得到標準的答案，於是他來見皇帝，雍正知道他已認識玉琳國師宗旨，他也因此開悟了。從此之後，才立下跑香的制度。

在禪堂裡，就是行香、跑香、坐禪、參話頭。行香就是快走，跑香就是慢跑，坐香就是坐禪，參話頭就是思惟一句話。例如：參「念佛是誰？」一心一意參這句話，參到一心不亂、一塵不染的時候，就是開悟時。

這些方法，是用來禁止妄想。沒有妄想，就能開悟。坐禪的目的，是要開悟。開悟之後，便有超人的智慧。所以祖師們研究以毒攻毒的辦法，用參話頭來控制妄想，也就是用一個問題控制多個問題。參什麼話頭？參「念佛是誰？」你在什麼時候把「誰」找到了，知道究竟念佛是誰？到那時候，你才是真正明白。明白什麼？明白顛倒是非要遠離。在心經上說：「遠離顛倒夢想，究竟涅槃。」這些過程，要經過一番苦功，才能有所成就。講多了，打閒岔，還是規規矩矩腳踏實地去用功修行。

有一點大家要知道，在三字經上說：「貴以專」。無論做什麼事情，你能專心一意去做，最後一定會成功的。我們參話頭也是這樣，只想一個話頭，白天想，晚上想，吃飯想，睡覺想，走路想，坐下想，非想到海枯石爛不停止。換言之，就是不開悟不休息。想一個問題是真理，想多問題是妄想。

有這樣兩句話，說的很有意思。「若人靜坐一須臾，勝造恆沙七寶塔」。這是形容坐禪的功德，就是說坐禪的人，在須臾之間，能清淨片刻，能修靜慮的功夫，就比造恆河沙數那樣多的七寶塔的功德還要大許多倍。因為造那樣多的七寶塔，不過是供養佛舍利（靈骨）。如果能靜坐一須臾，這是造佛的真身。所以說靜坐一須臾（很短的時間），勝造七寶塔。靜坐片刻就有這樣大的功德，如果天天靜坐，那種功德非算數所能算出來的。你能在一須臾之間不打妄想，清淨其心；

久而久之，你的心便能湛然常寂。

我們在禪堂裡靜坐，不但對自己的功德是無量，就是對全世界人類的功德也是無量。有人說：「我們的功德怎能給全世界人類呢？」現在全世界的人，因為爭名奪利，所以殺氣騰騰，自私自利，你爭我奪，搞得世界烏煙瘴氣。人類鬥爭堅固，一天比一天厲害，一天比一天危險，一天比一天嚴重。如果再不設法挽救世界的危機，總有一天，地球會爆炸的。地球怎會爆炸呢？因為現在科學突飛猛進，大國研究殺人的武器，一日千里，互相比賽。例如核子武器、死光武器等等，一旦戰爭發生，這些武器便會將地球毀滅，到那時候，真正的末日就到了。

【記錄者按】：美國三藩市金山聖寺的恆實法師、恆朝法師，他們於一九七七年五月六日，發心三步一拜，從洛杉磯拜到萬佛聖城。他們為什麼要三步一拜呢？因為世界人類沒有正確的宗教信仰，所以殺生太重，惡業堆積如山，因果循環遞償，才發生戰爭。所謂「欲知世上刀兵劫，且聽屠門夜半聲」。為挽救人類的浩劫，為乞求世界和平，二位法師乃發大願，以行動來喚醒人心，改惡向善，不殺生，不自私，大家要和平相處，成就人間的極樂世界。這是三步一拜的理想目標。

這二位法師，行人所不能行的善，拜人所不能拜的路，八百多英里漫長的路程，風雨無阻，日日拜，月月拜，年年拜，一日復一日，三年如一日，最後拜到目的地——萬佛聖城，完成他們的宏願，功德無量，功德圓滿！這種救世救人的偉大精神，令人景仰之至！

菩薩的心腸，是捨己為人，一切為眾生的利益著想，不為自己的利益打算。二位法師本著菩薩行願，行菩薩道，稱他們為菩薩可以當之無愧，他們犧牲小我完成大我的精神，值得效法。我們應向他們學習，向他們看齊，他們沒有半點的私心，忘了自己，一切為眾生。只要世界和平，人類快樂，就是刀山油鍋，全力以赴，在所不辭。

精誠所至，金石為開，他們虔誠之心，感動善神來護法，在這三年半之中，有很多不可思議的境界發生。他們的壯舉，在美國佛教史上是空前也可以說是絕後，恐怕沒有人能有這樣堅忍不拔的精神。最令人敬佩的是他們百折不撓的意志，無論遇到任何惡勢力來侵犯，不但沒有使他們屈服，反而更增加信心向前拜，用虔誠勇猛的精神，克服重重困難，這種菩薩行道，在佛教史上寫下最光榮的一頁。現在他們仍在萬佛聖城裡繞城三步一拜，沒有停止，這種精神，實在太偉大了。

何時停止？萬佛殿萬佛齊來時，便是三步一拜二位行者，功德圓滿時。

我們在禪堂裡，用功修道，在無形之中能把這些殺氣消滅，世界便沒有危險了。怎樣消滅呢？因為空氣被污染，有許多毒素存在，無論是直接的，或是間接的，都會影響眾生的健康，威脅眾生的生命。你們看看，現在奇奇怪怪的疾病，越來越多，使醫生束手無策。因為空氣被污染了，混濁不乾淨，充滿毒氣。我們修道人，要用電療把空氣消毒，什麼是電療？就是靜坐，從靜坐中放出智慧光，這個智慧光就是電，這種電波放到空氣中，有殺菌的作用。把混濁的空氣變成清潔的空氣，這叫電療世界之病。

現在有人懷疑這種道理是不可能的。靜坐怎會把空氣消毒呢？現在舉出一個故事，在宋朝有位大文學家，名叫蘇東坡，當時有位大禪師，名叫佛印。二人是道友，常有往來。有副對聯：「出入有僧皆佛印，往來無客不東坡」，證明他們的感情是很融洽的。有一次蘇東坡居士作一首偈頌：「稽首天中天，毫光照大千，八風吹不動，端坐紫金蓮。」送給佛印禪師評論，因而引起二人的辯論。我們現在看這首偈頌中的「毫光照大千」，用這句來說明道理。這毫光就是電療，照大千就是消毒。毫光能把大千世界混濁有毒的空氣，消滅得一乾二淨，乃至絲毫的毒素再也不存在。

你能以毫光照大千，便能消除你的一分空氣毒。他能毫光照大千，便能消除他的一分空氣毒。大家能毫光照大千，便能消除大家的一分空氣毒。大家同心協力來幫助世界電療這個病，這世界汚濁的空氣，就會越來越少，光明的空氣，也會越來越多，久而久之，空氣便能完全轉為清淨。要知道汚濁空氣就是毒素，光明空氣就是智慧。

現在的空氣為什麼會汚濁呢？因為一般人不知道修行，不會使用電療，所以空氣越來越汚濁。我們修道人要負起責任，使空氣清潔。不但自己要勇猛精進地坐禪，還要勸親戚朋友來坐禪。坐禪的功德是無量無邊，對身心有不可思議的好處，如果他們不相信的話，教他們試一試，不久即可得到不可思議的好處。大家努力坐禪，毫光照大千，空氣的毒素，自然被消滅了。

各位注意！只要把妄想停下來，就會放出智慧光明，這種毫光能照大千，有消毒作用，你們會有無量功德，這種功德，能使全世界人類都得到好處。什麼好處？就是把空氣的毒素毒菌消滅，人類便再不會患絕症——這是間接得到的好處。

禪七開示

在前邊所講「若人靜坐一須臾，勝造恆沙七寶塔」，你坐在禪堂裡，打這個妄想，靜坐一須臾，就有功德，勝造七寶塔，想來想去，連一須臾的時間也沒有靜坐，那麼，一點功德都沒有。為什麼？好像認指為月一樣，只見手指不見月，還說功德無量！無量！坐在那裡念無量！

又說我能毫光照大千！我能毫光照大千！這種境界不是想的，不是說的，而是行的。你能真正清淨入定，那時才能毫光照大千。不能入定，胡思亂想是沒有用處的，想來想去都是妄想，和事實相差十萬八千里。

又在想我怎樣能入定？我怎樣能開悟？如果打這種妄想，怎樣都入不了定，怎樣都開不了悟。為什麼？你只在皮毛上用功夫，不在般若上用功夫，竟向外找，不向內求，永遠找不到的。

各位，你們應做電療醫生幫助這世界，拯救空氣污染中的眾生，成就空氣清潔中的佛，那麼，大家現在要靜坐，不要打妄想。這一點，希望你們要明白，要了解，現在我把清淨空氣的電療法告訴大家，你們不妨試一試，看看效果如何？

今天是禪七第二天，你們所用的功夫有沒有上路？是上正覺的路，也就是菩提路。你們參「念佛是誰？」有沒有提起來？你們的妄想是不是放下了？若是沒有提起「念佛是誰？」趕快把它提起來。好像貓捉老鼠一樣，聚精會神在等待。又好像雞孵卵一樣，一心一意在想小雞。又好像龍養珠一樣，謹慎專一地保護，能念茲在茲來研究，才能有成就。

我們是持日中一食、夜不倒單的戒律。這種苦行敢說是世界第一家，尤其在打禪七的期間，每天坐十二小時，走六小時。這樣辛苦，需要營養，所以在從前打禪七的時候，每天晚上一人可得兩個大菜包，皆大歡喜。我們這裡沒有這種規矩，所以吃中飯時要加菜，叫大家吃飽一點，有力氣跑香。

在佛教的戒律，規定日中一食，就是在正午時候吃飯，一天只能吃一餐，後來改為過午不食，就是過了十二點鐘以後，不可以再吃飯。但是在早晨可以吃粥，這是因為沒有超過中午，所以不是犯戒。

在禪七期間，如果沒有吃飽，那麼，跑香、行香、坐香，都沒有力氣，就會生退轉心，怎樣生的？參禪的人，到了晚上，肚子發牢騷，批評你太自私，只知道修行，只知道開悟，對它一點也不關心，令它受痛苦。說你修的是什麼道？一點慈悲心都沒有，於是就不和你合作，因此，使你容易生出退轉心，不願意修行了，前功盡棄。所以在禪七的期間，一定要吃飽，才有精神求智慧解脫。

今天講打禪七吃包子的故事，這是真人真事，不是虛構。在中國寧波天童寺，該寺方丈叫密雲禪師，他是個明眼善知識。該寺的維那師父，也是個明眼善知識。不過，這位維那的慈悲心太多，那位方丈的慈悲心太少。方丈和尚是摩訶薩不管他的作風，維那師父是菩提薩埵愛管他的作風，二人的思想不同，所以作法是對立的。

在打禪七的時間，大家勇猛精進打坐，求智慧解脫。這位慈悲的維那師父，在晚上看大眾肚子餓，沒有食物，無精打彩的坐著；有的昏沉，有的掉舉，不是睡覺，就是坐小（本來坐時是三尺高，現在是一尺半，為什麼？因為肚子餓，挺不直腰，所以叫坐小）。這種現象一旦發生之後，便沒有法子繼續維持下去。維那一看這種情形，便發慈悲，為照顧大眾的健康，乃用其神通之力，在定中到廚房偷鍋粑，每人分一塊。等開靜時，大眾睜開眼一看，在膝上有鍋粑，就偷偷吃了。人是鐵，飯是鋼，馬上就有精神了，跑香時，也不覺得疲倦，不像餓的時候，跑也跑不動，要在旁邊休息。

這位慈悲維那，偷了兩天鍋粑，給大眾當作點心，不料在第三天，被方丈和尚發現他偷鍋粑，於是被遷單了。事情是這樣發生的，在第三天早晨，管理廚房的和尚，發現鍋粑不見了，以為被老鼠偷去了，因為職責的關係，乃向方丈和尚報告這情形，請示方丈和尚。老和尚說：「那麼，就捉老鼠吧！」到晚上，方丈和尚在定中觀察，發現維那在定中又去廚房偷鍋粑，於是把維那的身體放在櫈底下。等維那回來一看，自己的房子不見了，仔細的尋找，在櫈下找到，於是把身體拖了出來。這時，方丈和尚說：「你在做什麼？你這個大老鼠，敢到廚房偷鍋粑，現在你犯戒，你知道嗎？犯戒是要被遷單的，明天你走吧！我們這裡不留你了。」

這位被遷單的維那說：「您遷我的單是可以的，但是我有一個要求，請您答應我。」方丈和尚說：「你要走了，還要求什麼？」維那說：「參禪的人，一定要吃飽飯，才能用功修行。如果吃不飽，的確不能修行，所以我到廚房偷鍋粑，是為大眾，不是為我自己。希望方丈和尚發點慈悲，每天晚上，每人分兩個大包子，若能這樣做，我就向和尚叩頭頂禮。我走之後，也不會打妄想。」方丈和尚一想，這話很有道理。便說：「好吧！答應你的要求，滿你的願。」從此之後，每逢打禪七，晚上每人可得兩個包子吃。

這位維那師父，問方丈和尚：「我應到何處？」方丈說：「你到四川去，到那裡去建道場，因為那地方的護法和你有緣。」於是他用神足力，來到四川看見有一個地方，有兩棵大桂樹，枝葉長得非常茂盛，於是在樹下打坐。後來被當地的護法居士發現，認為他是老修行，是有德行的高僧，於是便在桂樹下建一所寺院，命名為雙桂堂。他就在此堂傳法授徒，後來有很多參禪者開悟，他也成為開山的祖師。

參禪好像人飲水一樣，冷暖自己知道。用功有上路自己知道，用功沒有上路自己也知道。用功上路的人，應該繼續努力，沒有上路的人，更不可懶惰。在打禪七的時候，要把一切放下。所謂「提得起，放得下。」提得起什麼？提得起「念佛是誰？」放得下什麼？放下所有的妄想，能把所有的妄想放下，智慧便生出來，若是放不下妄想，所用的功就不會相應。

在這七天之中，應該勇猛精進，不生絲毫懶惰的心，不生絲毫懷疑的心。大眾一起用功，用功到無人無我的境界時，便會得到自在。要能用功到非空非色，就和如來合而為一。要是沒有明白非空非色的境界，應當生大慚愧心。為什麼我用功得不到相應？這是無量劫的習氣太深的緣故。所以心中想向菩提路上走，事實上卻不願意向前走，總想向後轉。要知道習氣重，業障深，更應該把妄想放下，放下妄想，並不困難，只要把自己忘了，便沒有妄想。就因為有了自己，才忘不了自己。

在禪堂裡，用功修行，修到上不知有天，中不知有人，下不知有地。天地人都沒有了，東西南北也忘了，這時候，一念不生，就全體現；全體大用，你都會得到。整天打妄想的話，功夫就不會相應。所以要用功到一念不生，行不知行，住不知住，坐不知坐，臥不知臥。行、住、坐、臥都不知道，這時候，所謂「終日吃飯，未吃一粒米；終日穿衣，未穿一縷紗。」這時的你，就和太虛合而為一，能和太虛合而為一，才能豁然貫通，忽然明白過來，這就是頓悟的境界。

頓悟是平時用功，用到相應，才能豁然開悟。如果平時不用功，就不會有頓悟。好像小孩子出生之後，天天被薰習，到時候就會說話，他說第一句話的時候，好比開了悟。到時候就會走路，當他邁第一步的時候，也好像開了悟。他怎樣邁第一步呢？因為天天看大人走路，在這種環境薰習之下，自然而然地會走路。我們用功也是這樣，今天用功，明天用功，用來用去，功夫相應了，一念不生，沒有妄想，就會開悟。

這種開悟，或者是今生天天用功修行，時時用功修行，等到功夫成熟時，便開悟了，這是今生用功開悟。這時，有人說：「我看見一個人，他根本沒有用功修行，可是他到禪堂不久就開悟了，這是什麼道理？」這種情形是特殊的。今生他雖然沒有用功修行，可是他在前生是用功修行。不但修行，而且還是時時刻刻在修行。不過，只差一點點沒有開悟，等到今生他遇到這種境界就開悟了。

頓悟雖然是即刻開悟，但仍須靠前生所栽培的善根。好像種田一樣，春天播種，夏天耕耘，秋天才能收穫。如果在春天不下種子，到秋天怎能收穀？所謂「一分耕耘，一分收穫」。我們修道人也是這樣，無論開悟或沒有開悟，都應該勇猛精進，努力向前，希望在最後一秒鐘得到收穫，認識本來面目。

我們為什麼不認識本來面目？因為「我相」沒有去掉，「自私心」沒有去掉。如果沒有「我相」和「自私心」，就會認識本來面目。你要想不認識本來面目，當然沒有什麼問題，修也可以，不修也可以，因為沒有什麼希望。

我們修道人，一定要有一種希望，希望明白人是從什麼地方來？又到什麼地方去？想知道生從何處來，死往何處去，要把這個本來面目認識清楚，就要不怕苦不怕難，才能返本還原，也就是得到金剛不壞身。

我們在禪堂裡做什麼？就是鍛鍊金剛不壞身。既然是金剛不壞身，那麼，就應該不知道苦，不知道疼，要是怕苦怕疼，便不能成就金剛不壞身。這個金剛不壞身是由鍛鍊而成的，現在就是鍛鍊金剛不壞身，把身體鍛鍊得堅堅固固，永遠不壞。

這時候，有人在打妄想說：「我修這個不是為了這身臭皮囊，鍛鍊它不壞又有什麼用？」不錯！你的理論很正確。但是，我說的金剛不壞身，不是你說的那個臭皮囊。那麼，它是什麼？就是「自性」的金剛不壞身，也就是法身和慧命及自性清淨本源的金剛不壞身。

各位！要知道修道不是容易的事，你想修道，就會有魔，這種不是從一個地方來的，而是從四面八方來的。有的是病魔，有的是煩惱魔，有的是天魔，有的是人魔，有的是鬼魔，有的是妖魔。魔是從你不認識的地方來的，令你道心不堅固，令你修行不進步，他們用種種方法來誘惑你，威脅你，令你生退轉心，令你無定力而失道心。

坐禪到了相當程度時，就有魔來考驗你的道力如何？或者化現為美貌的男女來引誘你。你不動心便過關，如果動心就墮落，這是緊要的關頭，切記切記，一失足成千古恨！境界來考驗我們修道人，我們也要考驗境界是假是真。用什麼方法呢？這方法非常簡單，就是念阿彌陀佛，一心不亂一念不生地念。是假的境界，便會慢慢地消失了；是真的境界，越念便越清楚。坐禪人不明白這個方法，有許多人走火入魔，喪失道業。又有許多人認為入了魔，而放棄開悟的機會。

在我年輕的時候，聽人說：「修道就有魔。」我不相信，還驕慢的說：「什麼魔我都不怕，妖魔鬼怪我都不生恐懼心！」自己以為沒有什麼關係，那知沒有多久，魔果然來了。什麼魔呢？是病魔，這場大病害得我七八天人事不省，什麼也不知道。當時，自己知道功夫不夠，所以經不起考驗。妖魔鬼怪天魔外道我都不怕，就怕病魔，還是降伏不了，還是忍受不了。所以修道人，不能說自滿的話，說自己什麼都不怕。如果你自滿，麻煩就來了。那麼，修道人要怎樣呢？要用戰戰兢兢的心情來修道，如臨深淵，如履薄冰，時時刻刻要謹慎，要注意，提高警覺，這樣才可以修道。一言以蔽之，少說話，多打坐，這是修道的基本大法。

修道人的道業有所成就，是誰幫助的呢？就是魔來幫助的，好像一把利刀，是在石頭上磨利的。修道人開了智慧光，也就是魔來幫助你開的，這個魔，應該把他當作護法看。所謂「見事省事出世間，見事迷事墮沉淪。」你要能覺悟，對境能明白，這就是超出世界；你要不能覺悟，遇著事就迷了，就會墮入地獄。所以修道人不怕有魔，只怕沒有定力。魔是來幫助你，是考驗你，來看你有沒有功夫？有沒有定力？你要是有功夫有定力，無論什麼樣的魔，也不能動搖你。

修道人，時時刻刻把生死問題掛在眉梢上，時時刻刻都要了生脫死。要知道無論什麼事情，都沒有生死大事來得重要。這個生死問題沒有解決，不知怎樣生，不知怎樣死？所以在沒有真正了解之前，應該努力用功，否則，永遠要受生死束縛，而得不到解脫。

在修道時，要想這個生死問題，把什麼魔都當作護法，他是來幫助你修道。有人罵你打你，他是幫助你修道。有人說你的是非，找你麻煩，也是幫助你修道。總而言之，逆來順受，都把他當做幫助你修道的朋友，那麼，煩惱就沒有了。沒有煩惱，便生出智慧。有了真正智慧，那時候，一切魔都沒有法子來動搖你的心。

為什麼會被魔的境界轉呢？因為我們的智慧不圓滿。智慧不圓滿，遇事就迷惑，認識不清楚。我相、人相都生出來，眾生相、壽者相也生出來，煩惱相也跟著跑出來，如果有智慧就沒有這些問題。

菩提達摩祖師來中國

一九八〇年十二月禪七開示
萬佛聖城連續打三個禪七，為期廿一天

梁武帝普通元年（西元五二〇年）九月，菩提達摩（中國禪宗初祖）從印度乘船來到中國，抵達廣州登岸；來到金陵（南京），和梁武帝問答，因不契機，離金陵北往洛陽。路過神光法師講經處，順便進來。發現神光法師辯才無礙，有天華亂墜、地湧金蓮的境界，知道是載法之器。此時，神光法師見一位印度和尚來聽經，情不自禁，生起我慢之心。講完經之後，乃在達摩祖師面前打個招呼。達摩祖師提出問題：「請問法師，你在這裡做什麼？」神光說：「正在講經。」達摩又問：「你講的是什麼經？」神光不耐煩地說：「你從什麼地方來？」達摩說：「從印度來。」神光又問：「難道印度不講經嗎？」達摩說：「當然要講經。不過，講的是無字真經。」神光又問：「什麼是無字真經？」達摩說：「無字真經，就是一張白紙。你所講的經，黑的是字，白的是紙，你講它做什麼？」神光一聽，心裡不高興，便說：「我講經，教人了生死。」達摩說：「你憑什麼教人了生死？你自己的生死還沒有了呢！」神光一想，這個黑和尚，一定是魔王化身，來誹謗三寶，我要試一試他的法力如何？於是用念珠（鐵製，作為降魔武器）朝達摩祖師臉上打去。此時，達摩沒有防備，不幸被擊中，門牙被打掉兩顆，菩提達摩一想，聖人的牙（達摩祖師是證果聖人）如果落在地上，那裡就會大旱三年。為慈悲眾生起見，將兩顆門牙吞到肚中。因此留下「打落門牙和血吞」的成語。達摩一言不發，轉身走出道場，踩一蘆草，渡過長江，來到河南嵩山少林寺面壁九年思禪機。

神光洋洋得意，以為自己是勝利者。不知達摩修忍辱波羅蜜行門。菩提達摩剛走，無常鬼就來了，便對神光法師說：「你是神光嗎？」神光說：「我是神光，有什麼事情？」無常鬼說：「我奉閻王的命令，請你去喝茶，談談你講了多少經？念了多少經？還有多少經沒有講沒有念？」神光一聽，嚇得魂飛九霄雲外，知道壽命將終。乃懇求地問：「誰能了生死，不受閻王所管？」無常鬼說：「就是剛才那位滿臉大鬍子，被你打掉兩顆牙的黑和尚。」神光一聽，便後悔自己，不應該發無明火，將證果聖人打跑了。乃向無常鬼要求：「能不能讓我去找那個和尚，學學了生死之法？」無常鬼同情地說：「可以。不過速去速回，我好交差。否則，我擔待不起。」神光日夜趕路，急追達摩。追到嵩山，遠見達摩祖師面壁而坐。

欣喜若狂，急忙來到達摩祖師面前，恭恭敬敬地頂禮，懺悔地說：「請和尚慈悲，寬恕弟子魯莽，不知和尚是證果聖人，多所冒犯，請和尚賜我了生死之法。」達摩回頭一看，沒有說話，繼續打坐。神光跪在達摩面前不起來。一跪就是九年。

我們參禪打坐，坐不到兩小時，腰也疼了，腿也疼了，就受不了。或者打吃飯的妄想，或者打喝蜜水的妄想，總而言之，心猿意馬，控制不住，時時刻刻想往外跑。神光法師為法忘軀的求法精神，一跪就是九年，誰能跪九小時，恐怕辦不到吧！

有一天，天降大雪，神光仍然跪在達摩面前。雪厚約有二尺之深。此時，達摩抬頭一見，深受神光這種求法的精神所感動。便問：「你跪在這裡做什麼？」神光說：「懇求和尚慈悲，傳授躲閻王之法。」達摩說：「求法不是容易事，等天降紅雪時，再傳法給你。」神光一想，釋迦牟尼佛，在往昔作菩薩時，為求半句偈，曾捨身命。這念一起，福至心靈，見石壁上掛了一把戒刀，乃取下來，砍斷自己的左臂，血湧如泉，將雪染成紅雪。捧紅雪來到達摩面前，請求傳法。達摩說：「你為法斷臂，求法真誠。」於是將不立文字，教外別傳，直指人心，明心見性之法傳授於神光，改名為慧可。

慧可又問：「我心未寧，乞師與安。」達摩祖師說：「將心來與汝安。」慧可沉默良久，然後才說：「覓心了不可得。」達摩祖師說：「我與汝安心竟。」慧可豁然大悟，成為禪宗第二祖。後將衣鉢心法傳授於三祖僧璨大師，又傳四祖道信大師，再傳授於五祖弘忍大師，又傳授於六祖慧能大師。此時禪宗分為兩派，北宗以神秀為代表，他主張拂塵看淨，成為漸悟，他的偈頌：「身是菩提樹，心如明鏡臺，時時勤拂拭，勿使惹塵埃。」南宗以慧能為代表，他主張立即開悟，成為頓悟，他的偈頌：「菩提本無樹，明鏡亦非臺，本來無一物，何處惹塵埃？」後來分為五宗，就是溈仰宗、臨濟宗、曹洞宗、雲門宗、法眼宗。達摩的偈頌：「吾本來玆土，傳法救迷情，一華開五葉，結果自然成。」果然到了六祖時，分為五宗。

這種法在中國一代一代傳承下來。現在又把這法傳到美國來，但是不需要跪求。只要誠心修行，就可以得到這種法要。

坐禪的姿勢

萬佛聖城每年有數次禪七，每次為期七天。每年在彌陀聖誕時，先打一個佛七，然後連著又打三個禪七，為期二十一天。每年參加者，都是有始有終，功德圓滿。今年希望參加者，也要貫徹始終，不可半途而廢，退出禪堂，否則，前功盡棄，浪費時間，一無所得。

打坐的姿勢，要端然正坐，腰要直，頭要正，不可前俯，不可後仰，不可左斜，不可右歪。然後結雙跏趺坐，就是把左腳放在右腿上，再把右腳搬到左腿上，這才合乎標準。因為結雙跏趺坐，容易入定，所以叫降魔坐，又叫金剛坐，又叫蓮華坐。這種姿勢能消滅無量劫的業障，能了生死，生出無量功德。

在一開始打坐時，必須練習這種基本的坐姿。再調整身體，眼觀鼻，鼻觀口，口觀心。這是控制妄想的祕訣。然後將呼吸調勻，不急不緩，使其自然。這時再參「念佛是誰？」時間久了，就會起作用。

參禪好像母雞孵蛋一樣用工夫。母雞雖在想雞兒子，可是體不離蛋，專心致意來孵蛋。不是孵了五分鐘，就跑出去，過了一個時候，又回來孵蛋，不到五分鐘又跑了，這種情形，永遠孵不出小雞來。

我們參禪打坐也是這樣，要念茲在茲，不怕腰痠，不怕腿疼。不怕苦，不怕難。一心一意在參，為什麼？參「念佛是誰？」參到山窮水盡，水落石出的時候，便是開悟時。

參禪又像龍養珠一樣用工夫。龍時時刻刻保護牠的寶珠，沒有不注意不謹慎的時候。所以這顆寶珠，一天比一天光明，牠晝夜六時精心的保護。參禪的人，也是這樣。時刻不能生雜念。古德說：「一念不生全體現。」可以說妄念不生全體現。沒有妄想，就會有所成就。參禪人，不想成佛，不想開悟，不想得智慧。只是努力用功，勤加修行，到時候自然會開悟。不可去想什麼時候能開悟？如果這樣一想，想到無量劫，也不會開悟。在禪堂裡，行行坐坐，坐坐行行，時間久了，自然會有成功的機會。所謂「久坐有禪」。

參禪又好像貓捕鼠一樣用工夫，要聚精會神守在老鼠洞旁，等待老鼠出來，一爪捕之。不可懈怠，散亂其心就不能注意了。參禪人，亦復如是，時時刻刻提起正念，不生妄念。這是參禪初步入門的知識。

修道人，不要到南山去找道，也不要到北海去找道，道就在你的身邊。你能結雙跏趺坐，專心致意參禪，這就是道。不要有好高騖遠的心，向外馳求去找道，那是永遠找不到，捨近求遠，到處找困難的事。乃是自找麻煩，自討苦吃。

參話頭

參話頭，就是研究「念佛是誰？誰在念佛？」這句話的來龍去脈。所謂「大疑大悟，小疑小信，不疑不悟」。參透「念佛是誰？」就是金剛王寶劍，能斬斷一切慾念。只留有參話頭的念，別的念一概沒有了。這時道心就生出來。

「念佛是誰？」在沒有打禪七之前，先打個佛七。打完佛七之後，再打禪七，比較有功效。先念佛，後參「念佛是誰？」參就是找，找這個念佛是誰？是鬼，是那個鬼？是人，是那個人？是我，我死了，還會不會念？裝在棺材裡，就沒有人念佛。找究竟對「誰」念佛？念「誰」呢？找念佛是「誰」？「誰」在念佛？找不到。永遠的找，也找不到。這個「誰」如果找到了，什麼妄想也沒有了。為什麼還有妄想？因為沒有找到「誰」的緣故。這個「誰」字，可以找上個大劫。老修行坐在那裡不動，就是在定中找這個「誰」字。因為專參這個「誰」字，一切妄想沒有了，豁然開悟，在黑暗中現出光明，什麼都看見了。所謂「迷時千卷少，悟時一字多」。這就是「念佛是誰？」的道理。所以誰能不打妄想，誰就有功夫。誰要打妄想，什麼功夫也用不上，這就是參禪的中心思想。

參禪的功夫，就是專一其心來參，行也參，住也參，坐也參，臥也參。總而言之，時刻在參，不放棄參的機會。所以在打禪七的期間，不拜佛、不念經、不上殿，也不過堂。到時候去吃飯，吃完飯立刻回到禪堂，繼續參禪。到時候去廁所，方便後即刻回禪堂，繼續參禪，不可浪費一分一秒，不知在那一分那一秒時間內是開悟的時間？所以分秒必爭。所謂「不離這個」。不離那個？不離「念佛是誰？」不離念佛是誰，那就是智慧劍，斬斷七情六慾。這種習氣毛病一除盡，本性就現前。本性現前，菩提道果就成就了。

我們在參禪時間，要面對現實，克服一切環境，抱定宗旨。苦就是快樂的開始。我常對你們說：「受苦是了苦，享福是消福」。古人說：「禍兮福所依，福兮禍所附。」就是說在不吉祥事情的後面，會有吉祥的事來；在吉祥事情的後面，會有不吉祥的事來。世間法都是相對待的。

我們在往昔的時候，不知造了多少業？所以要受果報。若能努力用功，勇猛精進，把業果受完，就會證道業。各位要注意！無論遇到順的境界或逆的境界，都要忍受，忍受不了也要忍受。修道就是修忍受。所謂「忍是無價寶」，能忍受得住，才能得到真正的快樂。好像練過武術的人，沒有經驗，等打架的境界來了，就把所學的招式忘了；等境界過去了，想起招式，已經太晚了。參禪也是這樣，等境界來了，要忍受，要吃虧，咬緊牙根，度過難關，便得到自在。

參禪要朝於斯，夕於斯。在早晨也修這個禪定，在晚上也修這個禪定，修的時間久了，自然就有成就。要能忍耐，腰痠不要管它，腿疼不要管它，一心一意參「念佛是誰？」這樣就時刻不會打妄想，能攝受身心，令其清淨，一點妄念不生。心不離「念佛是誰？」四個字，時時提起來，刻刻不忘記，這就是用功的目標。

參話頭是一個妄想，雜念是多個妄想。用以毒攻毒的辦法，所以用參話頭的妄想來控制多個妄想。慢慢將妄想一個一個消滅，不再起作用。這時，無論什麼境界來了，都不會迷惑。分析清楚，就不會走火入魔。古德說：「寧可千生不悟，不可一日著魔。」修禪定要謹慎小心，不可偏差，正大光明，不要給魔找機會。雜念是替魔開門，而參話頭即是驅魔的法寶。

參禪的境界

坐禪坐到內無身心，外無世界，遠無其物的時候，就能無我相、無人相、無眾生相、無壽者相。這就是：過去心不可得，現在心不可得，未來心不可得。到這種境界，並不是得到真功夫，怎樣了不起。或者坐一個鐘頭，或者坐十個鐘頭，或者能坐一個月，甚至能坐十個月，這不過是功夫有點相應的現象，得到一點輕安的境界而已。經過輕安境界之後，繼續參禪，便到初禪的境界。初禪天名叫離生喜樂地，就是離開眾生所喜歡的境界。在離生喜樂地打坐時，很快入定，在定中，呼吸停止，不入不出，不來不去。好像烏龜在冬季的時節，把頭縮回殼內，外邊停止呼吸。可是內部呼吸活動起來，這是冬眠現象。參禪人，在定中停止呼吸，出定時，照常呼吸。各位注意：如果到這種境界的時候，不可打妄想：「哦！沒有呼吸啦！」這個妄念一生，馬上恢復呼吸，不可不慎；否則，失去機會，必須再重來。

由初禪天精進修禪定，進入二禪天的境界。二禪天名叫定生喜樂地，就是常在定中生出一種快樂，這種快樂無法形容，所謂「禪悅為食，法喜充滿」的境界。

在定生喜樂地坐禪時，在定中不但呼吸停止，而且脈搏也停止。要注意：停止不是斷絕，出定時，又恢復正常。

由二禪天精進修禪定，進入三禪天的境界。三禪天名叫離喜妙樂地，就是離開粗的歡喜，尚有細的歡喜，得到微妙的快樂。在離喜妙樂地坐禪時，在定中不但呼吸和脈搏停止，而且心念也停止，真像死人一樣。這時念停止了，沒有一切妄想。

呼吸停止，血液沒有氧氣，停止循環，所以心臟不活動，沒有脈搏。這時，一切雜念都沒有了，譬如呼吸是風，脈搏是浪，心念是水。沒有風，就無浪，水自然平靜。所謂「風平浪靜」，就是這個道理。這種情形，在定中是暫時的作用，並不是死亡的斷氣。可以隨時隨地恢復呼吸和脈搏的正常活動。

由三禪天精進禪定，進入四禪的境界。四禪天名叫捨念清淨地，就是捨去三禪的妙樂，心念清淨。氣停止，脈停止，念停止，而且也捨了，這時清淨本來妙真如性現前。這種境界，不可認為了不起，這不過是四禪的境界而已，並不是證果的現象，仍然是凡夫地位。因為還沒有斷慾，如果勇猛精進，修外道邪定，則進入無想天，受快樂的境界。修正定正受，則進入五不還天，這才是證果的境界。

證初果羅漢，不但在定中沒有妄念，就是在行住坐臥中，沒有妄想，也沒有執著。到初果的境界，還有七番生死。並不是證到初果，就入涅槃。只是斷了三界八十八品見惑而已。到初果時，無論見到什麼境界，也不動其心。所謂「對境無心」，只有道心，專一修禪。外邊境界如何莊嚴？如何美好？或者是美女，或者是俊男？也不動搖其心。這時候，不貪財，不貪色，不貪名，不貪食，也不貪睡，一切無所謂。到這種境界，才可以說是證果。證初果的羅漢，走路沒有聲音。因為腳離開地面約有寸高，為什麼？證果人，心懷慈悲，深恐踩死小蟲等，所以在虛空走路。

各位注意！不能未證言證，未得言得。這是犯了妄語戒，將來要墮落到拔舌地獄。信不信由你，我事先說明。在佛教中有人沒有開悟，就說自己開悟。這種行為要不得。就是真的開悟，也不要對人講：「我開悟啦！得五眼六通。」不要自我宣傳，自賣招牌，那就沒有意思。

你真開悟，知道某人是菩薩，某人是佛，他們化身來到世間，那時候，他們就走了。在唐朝有二位大師，一為寒山大師，一為拾得大師。寒山是文殊師利菩薩化身，拾得是普賢菩薩化身。原來寒山和拾得是最好的道友。拾得（是豐干和尚在路旁拾來的嬰兒，在國清寺養育成人）他在廚房管理燒水的工作，每天將殘餘的飯菜裝在竹筒內，供養寒山。寒山住天台山月光岩洞中，每天到國清寺來取殘餘的飯菜。因為二人志同道合，常在一起說笑，全寺僧人認為他們二人是瘋子，所以不理他們。誰也不知道他們二人是菩薩化身，遊戲人間，來度應度的眾生。

有一天，閭邱胤太守見到豐干和尚（彌陀化身）便問：「禪師！過去諸佛菩薩，常常化身來到世界，現在諸佛菩薩是不是也化身到這世界來？」豐干和尚說：「有啊！不過你不認識而已。現在在天台山國清寺廚房燒水那個和尚，就是普賢菩薩，他有位道友寒山，就是文殊師利菩薩，怎說沒有呢？」閭太守聞之大喜，拜別而去，急往國清寺，專誠拜訪寒山拾得二菩薩。

來到國清寺，知客僧見太守光臨，殷勤招待一番，得知太守的目的，覺得奇怪，不知太守為什麼要見兩個瘋人？覺得莫名奇妙。乃引導太守來到廚房。此時二人大說大笑，瘋瘋顛顛的樣子，令人好笑。可是閭太守恭恭敬敬地給二人頂禮，必恭必敬的說：「弟子閭邱胤請二位大菩薩慈悲，指示迷津。」拾得大師說：「你在做什麼？」太守說：「我聽豐干和尚對我說：『二位是文殊和普賢二大菩薩的化身。』特來參拜，懇乞開示。」拾得一聽，向後倒退而說：「豐干饒舌！豐干

饒舌！豐干是彌陀化身，你不去拜彌陀，來麻煩我們做什麼？」說完便退到寺門之外，到天台山月光岩，退隱石壁中。太守一看，大失所望，二位菩薩隱藏起來，心中在想，回去拜彌陀吧！等他回來時，豐干和尚已圓寂了。這是當面錯過。所謂「對面不識觀世音」。我們禪堂中也有觀世音菩薩，可是我不能告訴你們，免得被你們給攆跑了。

參禪能控制生死

在北宋末年，中國有位民族英雄，名叫岳飛。他幼年喪父，母親很賢慧，母子二人相依為命。幼年時，他母親教他識字、練字。家貧無錢買筆紙等，在沙子上練字，成為書法家。青年投軍，他母親在他背上刺「精忠報國」四個字。他時時不忘救國家民族的大志願。

此時金人侵宋，佔領汴京（開封），執徽欽二帝北去，康王構在杭州建國，成為南宋，稱為宋高宗，用秦檜為相，當時文人主和，武人主戰。岳飛大破金兵於朱仙鎮（離汴京很近），有直搗黃龍（吉林農安）的壯志，不幸被秦檜嫉妒（主和派），用十二道假金牌召回京城。岳飛有「忠君愛國」的思想，班師回京。過長江時，經過江中金山寺，乃去拜訪道悅禪師。道悅和尚勸他不要回京城去，在金山寺（鎮江）出家修行，可以免是非。岳飛將生死置於度外，認為軍人的天職，就是服從命令，沒有「將在外，君命有所不受」的思想，所以拒絕道悅和尚一番盛意。臨行時，道悅和尚作一首偈頌：「歲底不足，謹防天哭，奉下兩點，將人害毒。」岳飛回杭州，秦檜用「莫須有」三字，使岳飛父子下獄。等到臨刑的時候，才悟道悅和尚的偈頌大意。那年的十二月二十九日過年，同時天降大雨，岳飛在獄中聽到雨聲，知道大難臨頭，想起道悅和尚的讖言終於應驗了。奉下兩點，就是秦字。果然被斬於風波亭。

秦檜問監斬人：「岳飛臨刑時，說些什麼話？」監斬人說：「只聽他說，不聽金山寺道悅和尚的話，所以有今天的下場。」秦檜一聽大怒，派何立去金山寺，捉拿道悅和尚。道悅禪師在頭一天於定中曉得這段因緣，乃留下一個偈語：「何立自南來，我往西方走，不是法力大，幾乎落他手。」寫完之後，即刻圓寂。第二天何立來到金山寺，老禪師已經圓寂。無可奈何，回去交差。這證明坐禪的功夫到了極點，便可控制生死，願意何時往生就何時往生，操縱在自己的手中，是很自然的現象。古時禪師，都有這種功夫。生死自如，遂心如意。在唐朝有位禪師，名叫鄧隱峰，可以倒立而圓寂；近代金山活佛可以站立而圓寂，這都是由禪定的功夫，來去自由，不受一切的限制。

修行要忍耐

釋迦牟尼佛，在往昔修福修慧的時候，經過三大阿僧祇（無量數）劫，才成正覺。所謂「勿以善小而不為，勿以惡小而為之。」釋迦牟尼佛在行菩薩道的時候，像頭髮那樣細的善，也不放棄；像微塵那樣小的惡，也不去做。所以福慧功德圓滿，成為兩足尊。

各位注意，善雖然小，也要修，集沙成塔，便成大善。惡雖然小，若去做，集少成多，便成大惡，永遠不會成就道業。修行就是「諸惡莫作，眾善奉行。」如果能諸惡莫作，那麼，福報會一天比一天增加。若能眾善奉行，那麼，智慧會一天比一天增加。雖然在增長，但要繼續修行，而不間斷，才能有所成就。

我們現在行行坐坐，坐坐行行，在禪堂裡用功修行，這就是修福修慧。如何修福？就是不做諸惡。如何修慧？就是眾善奉行。在這種情形之下，福報也圓滿，智慧也圓滿，然後很快成就佛道。不需要經過三大阿僧祇劫。

釋迦牟尼佛在往昔修行時，走錯很多冤枉路，可是他很有耐性，不灰心，繼續精進，勤修戒定慧，息滅貪瞋癡，最後達成佛果。我們修行佛法，比釋迦牟尼佛幸運。他老人家給我們留下正道，只要按照目標前進，很快達到目的地——彼岸的淨土。

釋迦牟尼佛前生為常不輕菩薩時，修一種忍耐的苦行。見人就頂禮，口中還說：「我不敢輕視汝等，汝等皆當作佛。」有人討厭他的行為，所以他向人家叩頭，還要遭受人的罵或打。有一次，行菩薩道，向人叩頭，被人踢掉兩顆門牙，但是不灰心，再接再厲，行叩頭的苦行。這回學到經驗，見到人來，在遠處就先叩頭，還說：「我不敢輕視汝等，汝等皆當作佛。」叩完頭，說完話，即時就走，想打他也追不上。常不輕菩薩，以無我相的精神來修福修慧。誰教他這樣修行？沒有人教他這樣修叩頭行，乃是他自己心甘情願這樣修行。被打被罵不生瞋恚，這就是修忍辱波羅蜜法門。

修行人最要緊的法門，就是忍耐。遇到不如意的境界，要忍要讓，與世無爭。能修不能忍，隨時發脾氣，把辛辛苦苦所修的功德，統統燒光。我們捫心自問，有沒有這種忍耐力？向人叩頭，反被人打，不生瞋恨。若能做到，就是佛弟子。若是做不到，趕緊攝守身心，向前勇猛精進修行。否則，浪費光陰空虛過，一無所得。

修行人，主要能忍冷忍熱，忍風忍雨，忍飢忍渴，忍罵忍打。學常不輕菩薩的精神，無論誰對我不好，也不生瞋恨心，以誠待人，彼自然被感化，化干戈為玉帛。

修行人，就是修無我相。如果無我相，一切能忍受，境界來了，也不動心。自己把自己看成虛空一樣。順境來了，也是修行；逆境來了，也是修行。換言之，順境來了，也不生歡喜心，逆境來了，也不生憂愁心。無論順逆，要認識清楚。若能如如不動，不會被境界所轉。若能了了常明，就能轉境界。

釋迦牟尼佛在往昔修行時，專修忍辱法門，所以稱為忍辱仙人。有一天無緣無故被歌利王割去四肢，可是他不生瞋恨心，反而可憐歌利王的無知。乃對歌利王說：「等我成佛時，第一個先度你修道。」歌利王聞之，生大懺悔心，皈依忍辱仙人。後來就是憍陳如（五比丘之一）尊者。佛為他們五人說四諦法、三轉法輪，都證羅漢果位。

釋迦牟尼佛是我們佛教的教祖，他的忍辱功夫修到極點，怎樣也不會生瞋恚心，我們都是佛的弟子，應該向本師釋迦牟尼佛學習忍耐的功夫。淺言之，忍耐是修行法門最主要的，不可忽略。古人說：「忍片刻風平浪靜，退一步海闊天空」。

所以說「忍是無價寶」。誰把萬佛聖城打碎了，我也不執著，無所謂，絕對不生瞋恨心。人人如此想，天下太平。

忍耐是修行人不可缺少的。有忍耐力，才能修行；沒有忍耐力，一切免談。今天所講的道理，非常平凡，淡而無味。可是這是真法、正法、妙法、稀法。雖然平常，但是道是從平常中生出來，道是人用腳走出來的。這種無為法，是百千萬劫難遭遇的法，不可當面錯過。如果當耳邊風，過而不留，那就後悔莫及。今天對你們所講的話，會用時，無論什麼境界來了，不生煩惱。若能用智慧來判斷這個境界，不管什麼事情，都能迎刃而解，不會有什麼麻煩。最後希望各位努力參，參「念佛是誰？」不找到「誰」字，不休息。

參禪是開悟的方法

佛教傳到中國之後，演變成五宗，就是禪、教、律、淨、密。禪是禪定，教是教理，律是戒律，淨是淨土，密是持咒。現在是打禪七期間，只講禪的道理，其他四宗，暫且不談。

禪那譯為思惟修，常想這件事。什麼事？就是話頭。研究「念佛是誰？」這句話，這叫參禪。其實參話頭也是妄想。不過是以妄制妄，以毒攻毒的辦法，用一個妄想來消滅多個妄想。參話頭的功夫，需要經過長時間才能有所成就。所謂「久參有禪」。

「參」好像用錐子來錐木頭一樣，不透不停止。不可半途而廢，前功盡棄。參禪第一要忍耐，忍耐到最高峰，就能一念不生。一念不生，就能開悟。所謂「百尺竿頭，更進一步」，在百尺竿頭上，再向前邁進一步。這時，十方世界現全身。但是，這個法門，要念茲在茲才有效，不能放鬆，不能放逸。

在證道歌上說：「頓覺了，如來禪，六度萬行體中圓，夢裡明明有六趣，覺後空空無大千」。頓就是立刻覺悟一個理，所謂「理可頓悟，事須漸修。」在事上要一步一步的修，在理上要立刻就明白。頓悟的時候，知道井在那裡，可以去取水。沒有頓悟的時候，常聽轆轤（汲水的工具）響，但不知井在何處？這個譬喻，是說明佛性從什麼地方來的？怎能證得佛性？證佛性別無二法，唯一的方法，就是參禪打坐。

六度是菩薩修行的法門。布施度慳貪，持戒度毀犯，忍辱度瞋恚，精進度懈怠，禪定度散亂，智慧度愚癡。這六度修行圓滿，才能開悟。

我們都在作夢。所謂「人生一場夢，人死夢一場；夢裡身榮貴，夢醒在窮鄉。朝朝是作夢，不覺夢黃粱；夢中若不覺，枉作夢一場。」在夢中明明有六趣（天、人、修羅、畜生、餓鬼、地獄），等覺悟之後，三千大千世界也化為烏有。為什麼？因為沒有執著。沒有執著，把萬事萬物都返本還原，又怎能有我相？人相？眾生相？壽者相？統統都沒有了。有人聽到這四相沒有了，就不敢修行。誤認修到極點，人也沒有了，眾生也沒有了，壽者也沒有了，怎麼辦呢？那麼，什麼工作也沒有了，成為失業的人。

一定要有工作嗎？那就繼續顛倒吧！修行到了無四相的境界時，就能掃一切法，離一切相，證得諸法實相的道理。所謂「一法不立，萬法皆空」。不是說我明白這個道理，而是要真正證得這種一法不立，萬法皆空的境界，那時候，無有眾苦，但受諸樂。

我們在世界上，不是執著名，就是執著利。或者執著財，或者執著色。所以看不破，放不下。想看破，想放下，又捨不得。為什麼捨不得？因為有精細鬼和伶俐蟲在作怪，所以把很多事情當面錯過，失之交臂，對面不識觀世音。觀世音菩薩就在我們的對面，我們還要到處去找，這就是受顛倒妄想所支配。

參禪的參，就是觀。觀什麼？觀照般若。教你念茲在茲觀自在，不是觀他在。觀觀自己在不在？自己在，就能參禪打坐，用功修行。若是不在，在那兒打妄想，想入非非。那就身在禪堂，心跑到紐約去觀光，或是到意大利去旅行。到處去攀緣，所以就不自在了。

觀自在就是菩薩，觀不自在就是凡夫。觀自在是天堂，觀不自在是地獄。如果觀自在，心未跑出，才能行深般若波羅蜜。此身在參禪的時候，繼續不斷的參，綿綿密密的參。這才算是行深般若，找到智慧。得到大智慧，才能到達彼岸。

參禪的密訣，就是朝也思，夕也思，思什麼？思「念佛是誰？」今天也參，明天也參，天天在禪堂裡行深般若波羅蜜多時，不是在短期能嘗到禪的味道。要經過長時間才可以。有了行深般若波羅蜜多時的功夫，才能照見五蘊皆空。

五蘊又叫五陰。蘊是集聚的意思，陰是遮蓋的意思。我們為什麼得不到自在？得不到解脫？就因為被五蘊所覆的緣故。五蘊就是色、受、想、行、識。

①色蘊：有障礙為色，有形相為色。色蘊不空，見到色被色塵所迷惑，聞到聲被聲塵所迷惑，嗅到香被香塵所迷惑，嚐到味被味塵所迷惑，觸到覺被覺塵所迷惑。如果把色蘊空了，就是內無其心，外無其形，遠無其物的境界。

色有種種顏色，能令你眼花撩亂，認識不清楚，迷迷茫茫，好像瞎子一樣。在道德經上說：「五色令人目盲，五音令人耳聾，五味令人口爽。」這些境界，都是被色蘊所執著。若能破了色蘊，山河大地、房廊屋舍都空了，就沒有這些麻煩了。所以說色蘊不空，便執著在色上。若著色上，見惑不能破。見惑就是「對境起貪愛」。境界就是色，對著境界生起一種貪心和愛心，就執著了。見惑有八十八品，如果斷盡，就證初果羅漢。我們修道人，先斷三界八十八品見惑。然後再斷三界八十一品思惑。思惑就是「迷理起分別」，也就是對一切理認識不清楚。如果斷盡三界八十一品思惑，就證四果羅漢。

②受蘊：就是領納的意思。境界來了，不加考慮，就接受了，有舒服之感覺。

譬如吃一種好東西，覺得很自在，這就是受。穿一件好衣服，覺得很漂亮，這就是受。住一間好屋子，覺得很漂亮，這就是受。坐一輛好汽車，覺得很舒服，這就是受。乃至一切身所接受的，覺得不錯，這都是受。

③想蘊：就是思想的意思。因為五根領受了五塵的境界，就生出種種的妄想，種種的念頭。忽起忽落，起了作用，去想色，去想受。

④行蘊：就是遷流的意思。隨來隨去，隨去隨來，沒有停止，川流不息。做善做惡的動機，由妄心所支配，而反應於身口的行為。

⑤識蘊：就是分別的意思。境界來了，就生起分別心。例如，見到美色生歡喜心，聽到惡聲生討厭心等等的分別。

若能把五蘊破了，才能度一切苦厄，也就是沒有一切的災難。我們為什麼有災難？就因為有我執、有法執，二執不空的緣故。

古德說：「五蘊浮雲空去來，三毒水泡虛出沒。」五蘊本來沒有自性，猶如空中的浮雲，自然而有，自然而無。不明白這個道理，被五蘊所覆，不得自在，不得解脫。我們修道，就是破五蘊，好像浮雲，來，隨它來；去，隨它去，不需要注意它，不需要執著它。貪瞋癡好像水中的泡一樣，本來沒有實體，它自己生，它自己滅，不執著就沒有了。

在證道歌上說：「證實相，無人法，剎那滅卻阿鼻業，若將妄語誑眾生，自招拔舌塵沙劫。」實相就是無相，無所不相，也就是掃一切法，離一切相。可以說返本還源，證得自性清淨。到這種境界，也無人，也無法，人法雙亡。也沒有人執，也沒有法執。這就證得實相理體。在剎那之間，能將無量劫以來，所造的無間地獄，統統消滅無餘。永嘉大師說：「如果我用誑語來欺騙眾生的話，我心甘情願到拔舌地獄去受塵沙劫那樣多的苦。」

我們在禪堂裡，要實實在在來修行，好像抽藕絲一樣，要有忍耐性，一點一點來抽絲，才不會亂。不可自作聰明找捷徑，用科學方法來開悟，那是妄想。如果科學能開悟，那些科學家不會在牛犄角尖裡亂鑽，早就開悟了，不會有你的分。不要異想天開，還是按部就班來參「念佛是誰」吧！腰痠要忍耐，腿疼要忍耐，忍耐到時候，自然會開悟。所謂「不經一番寒徹骨，那得梅花撲鼻香？」各位注意！不要聰明反被聰明誤。要曉得一分努力，便有一分功夫，修行講真功夫，不是口頭禪，能說不能行，是無用處。不但對開悟無幫助，反而成為障礙。所以說「不說話才是禪。」

一念靈光能徹照天地，與十方三世一切諸佛無二無別。為什麼我們不能證得佛的三身、四智、五眼、六通？因為我們凡夫的妄想太多，所以把智慧遮住，沒有光明，成為無明。整天起惑、造業，要受生死的苦報。

三身就是法身、報身、應（化）身。四智就是成所作智、妙觀察智、平等性智、大圓鏡智。五眼就是天眼、肉眼（非人眼）、法眼、慧眼、佛眼。六通就是天眼通、天耳通、他心通、宿命通、神足通、漏盡通。若沒有一切的妄想，就能證得這些境界。這並不是玄妙的理論，而是自然現象，是從實踐功夫中得來的，一點也不足為奇，乃是平常事。

我們從無始劫以來，就被無明所覆，遇不到善知識的指引，不知什麼是明心見性（明悟自心，徹見本性）？什麼是返本還原（恢復童子身）？我們在參禪，要明心見性，要返本還原。得到解脫，就無罣無礙，遠離顛倒夢想，得到究竟涅槃。

妄想不斷不能開悟

參禪的目的，就為著開智慧，求解脫。要專心致志來參「念佛是誰？」參到極點，就把一切妄想都忘得一乾二淨。吃飯、穿衣、睡覺都忘了，甚至大小便也忘了。這時候，風也吹不透，雨也淋不漏，綿綿密密的念「誰」字。這一念猶如金剛一般的堅固，什麼也破不了。上不知有天，中不知有人，下不知有地。到無人、無我、無眾生、無壽者的境界，也就是內無身心、外無世界的地步，與宇宙合為一體，打成一片。

古時高僧大德，他們修到一念不生的程度。所謂「終日吃飯未吃一粒米，終日穿衣未穿一縷紗。」到無人無我的境界，那有時間去打妄想呢？認為浪費一分鐘的時間，就會把開悟的機會錯過了。所以拼命的參「念佛是誰？」找不到「誰」字，永不休息。找「誰」字，就是控制妄想最佳的辦法。

在揚州高旻寺有位妙度老和尚，當初他在參禪時，參到「行不知行，住不知住，坐不知坐，臥不知臥」的程度，什麼也不想，只想「念佛是誰？」有一天，要去小解，因為專心參「誰？」綿綿密密的參，所以誤走到天王殿，在韋陀菩薩座前，當做廁所，正要小解時，抬頭一見韋陀菩薩瞪著眼睛，舉起寶杵，嚇得清醒，知道走錯路，急向韋陀頂禮，懺悔過錯，祈菩薩原諒。

為什麼會有這種情形？因為妙度禪師用功專心，一心一意參「誰」字，別的一概不知，所以把天王殿誤做廁所。有人在打妄想，我也學妙度禪師，不去廁所小便，來到觀音臺上小便。故意這樣做，那就離道十萬八千里。要知道妙度禪師不是學某某人的行為，而是一心在想「念佛是誰？」精神集中在一個問題上，所以才有這種現象，你想故意學走錯路，那是大錯而特錯。就是有這種想法也不可以的。

所謂「失之毫釐，謬之千里」。在禪堂裡不用功修行，坐在那裡打妄想：引磬還不響？開靜可以伸伸腿，直直腰，或者打吃飯的妄想：還不到吃飯的時候？肚裡餓的受不了。甚至有人在數時間，已經過去十二天了，尚有九天功德圓滿。快點過去吧！免得造罪。人家打禪七，希望時間越長越好，能有開悟的機會；他坐在禪櫈上，好像坐在針墊上，時刻不安寧，不是換腿，就是伸腰。人家在入定，他在想入非非，妄想重重。既然是這樣，何必來打禪七？裝模作樣做什麼？乾脆不要來參加，免得自找苦吃。可是要知道，想了生死，應該把生死二字掛在眉梢上，睜眼看見生死問題，閉眼不忘生死問題。要念玆在玆用功修行，才能了生死。你在禪堂不是念玆在玆想了生死，而是念玆在玆打妄想。唯恐妄想打少了不夠本，這是多麼的可憐！

用功修道的人，一秒鐘也不可打妄想，所謂「大事未明，如喪考妣」。生死大事沒有了，好像死了父母一樣的悲哀。所以在參禪時期，一分一秒的時間也不空過，也不放鬆。時時刻刻用功修行。用功到了爐火純青的時候，自然就有感應。有了感應，功夫才能相應。就是已經開悟，也要再接再厲向前進，不可躲懶偷安，化城自困，到此為止，不向前走。有這種思想，就是修道的絆腳石。

妄想，明明知道辦不到，為何還要打呢？明明知道是妄想，為何不收拾乾淨？這就是一般人的習氣毛病，明知故犯。說穿了，就是看不破，放不下，執東執西，著男著女，把寶貴光陰浪費掉了。

打禪七的時間最寶貴，乃是不容易遇到的良機。在這期間內，把一切妄想拋到九霄雲外，讓心清淨一下，專想「念佛是誰？」不要打閒岔，大家努力來參！參！參！

開悟要印證才算數

在威音王佛前，人人能開悟，不需要有人印證。在威音王佛以後，自覺開悟的人，一定要經過祖師或善知識（已開悟）印可證明才算數。好像在楞嚴法會上，有二十五位聖人，自敍圓通，請釋迦牟尼佛印證。

現在講一個印證的公案。在唐朝有位永嘉大師。他生於浙江省永嘉縣。因為他一生沒有離開永嘉縣，所以時人稱為永嘉大師。他出家後，研究天台教理，好修禪觀。曾閱維摩經，豁然大悟。後來遇到玄策禪師（六祖的弟子）敍述此事，玄策建議，令他去曹溪參六祖，請印證。否則，無師自悟，乃是天然外道。

他來到曹溪南華寺的時候，恰巧是六祖坐禪時間，他貢高我慢，來到六祖禪床前，也不問訊，也不頂禮，手執錫杖，右繞禪床三帀，振杖而立。六祖說：「沙門應具三千威儀，八萬細行。行行無虧，名為沙門（譯為勤息。勤修戒定慧，息滅貪瞋癡）。大德從何方而來？生大我慢。」永嘉答：「生死事大，無常迅速。」六祖說：「何不體無生？達了無速乎？」永嘉答：「體本無生，達即無速。」六祖說：「子甚得無生之意。」永嘉說：「無生豈有意耶？」六祖說：「無意誰能分別？」永嘉說：「分別亦非意！」六祖說：「如是如是。」乃授與印可證明，成為六祖的法嗣。

永嘉大師得六祖大師印證之後，即刻要回永嘉開元寺。六祖留他住一宿，次日再下山回永嘉。因為在一宿的時間，便覺悟佛法的真諦，所以時人稱為一宿覺和尚。後來他極力宣揚頓悟的禪風，特作證道歌五十多首，說明頓悟的境界。這是不朽的佳作，成為佛門必讀的功課。

我們坐在禪堂裡，在表面看來，好像用功修行，其實坐在那裡打妄想，一點也不用功修行。心中想，現在是科學時代，應該用科學方法來開悟，想來想去，一點也不科學，這就是癡人說夢。開悟要經得起考驗，否則，成為大妄語，要墮落到無間地獄。凡是自我宣傳，開悟啦！證果啦！都要受此報。希望各位！謹慎再謹慎，不可任意亂語，要受果報。

我們現在很早就起來，很晚才休息。為什麼要這樣苦修呢？因為多一分鐘的參禪，多一分鐘開悟的機會。現在雖然都坐在禪堂中，聚精會神在參「念佛是誰？」其中不能說沒有人專心用功，可是真正想要開悟，得到受用的人，為數不多吧！多數的人，對參禪不認真，也不熱心，敷衍了事，來混光陰。這樣打禪七，盡未來際，也不會開悟。我希望在這個國家（美國）有多人開悟，對佛教前途才能有所幫助。

在打禪七的期間，不要講話，不要打妄想，拿出真心來用功，才有感應，才能開點智慧。有了智慧，才不會顛倒。不顛倒才能教化眾生。自己對道理還弄不清楚，怎能去教化他人？豈不是以盲引盲嗎？這是很危險的。

參禪好像農夫在春天播種五穀的種子，在夏天努力的耕耘、灌溉、除草、施肥。到秋天才可以豐收，到冬天才能得飽暖。這是農夫一年之希望—豐衣足食。參禪也是這樣，要兢兢業業守住念頭，時時刻刻管住自己，在禪堂裡，行的時候用功否？坐的時候用功否？總而言之，行住坐臥都要用功修行。覺得用什麼功相應？就用什麼功，沒有什麼限制。譬如參話頭覺得不相應，可以念佛，或者修止觀。只要相應，才會有成就。無論用什麼功，心要專一，沒有妄想，用到極點，便有消息。如果妄想重重，用什麼功，也不會相應。凡是真正用功的人，行不知行，坐不知坐，行坐都不知道，怎會打妄想呢？只知道「念佛是誰？誰在念佛？」這個疑問，要念念不忘，常在心中參。在這個時候，渴不知渴，飢不知飢。冷不知冷，熱不知熱。為什麼不知道？因為專一其心的緣故，腰痠不知痠，腿疼不知疼，什麼念頭都沒有了，只有唯一的念頭——念佛是誰？常提起來又放下，放下又提起來，時時刻刻，綿綿密密，接接連連而不間斷用功夫。用到極點的時候，或者撞著，或者闖著，忽然間開悟。為什麼你沒有豁然開悟？因為你沒有專心致志，不知明心見性的道理，不知返本還原的境界。不知家鄉在何處？願做流浪異地的窮子。最後一句話，參「念佛是誰？」參到山窮水盡疑無路的時候，就會有柳暗花明又一村的境界。

善惡不離一念心

「諸惡莫作，眾善奉行，自淨其意，是諸佛教。」這是佛教的真諦。人人都明白這個道理，可是人人都不能行這個道理，所以天下大亂。

我們在打禪七，就是「改惡向善」，是改過自新最好的機會。一念惡，天地會有狂風暴雨發生，造成災害。如果全世界所有的人類，都能受持五戒，奉行十善，那麼，天地會風調雨順，世界會國泰民安。簡言之，那個國家，上自元首，下至老百姓，守五戒，行十善，這個國家一定豐衣足食，過著安居樂業的生活。若是犯五戒，造十惡，毫無問題這個國家的老百姓，家庭不和睦，社會不安寧，國家不富強，百姓過著顛沛流離的生活。

參禪就是不殺生、不偷盜、不邪淫、不妄語、不飲酒。在禪堂裡一心參禪，其他妄念停止下來。專心參禪，拿得起，放得下，一念是誰？時刻在尋找！這就是守五戒，也是行十善。禪堂一坐，五戒十善具足了。因為這個，所以不要浪費時間，不要打些無益的妄念。要把握時機來參「念佛是誰？」

參禪時，要努力用功，勇猛精進。要迴光返照，反求諸己，問問自己，生了多少善念？生了多少惡念？打了多少妄想，要統計一番。未生善念，令生善念；已生善念，令其增長。未生惡念，令其不生；已生惡念，令其消滅。這就是修行初步的基礎。

世界為什麼會毀滅？因為人們的善念少惡念多的緣故。一念為善，天地增加正氣；一念為惡，天地增加戾氣。要轉戾氣為祥和，戾氣就是毒氣，生一念貪心，宇宙間的毒氣就多一點；生一念瞋心，宇宙間的毒氣就多一點；生一念癡心，宇宙間的毒氣就多一點。如果用貪瞋癡三毒來處理事情的話，那麼，就會天昏地暗發生災難。如果用戒定慧來處理事情，天會清地會寧。所以說，惡人多的地方，災難就重，善人多的地方，吉祥增加。總而言之，災難或吉祥，都在人為。

古人說：「善惡兩條道，修的修，造的造。」修善者能出離三界，造惡者能墮落三道。善惡只在一念之間，有智慧就是善念，有愚癡就是惡念。世間一切都在說法，有的說善法，有的說惡法，有的說旁門左道的邪知邪見法，有的說中道了義的正知正見法。換言之，說善法，教人看得破，放得下，得到自在。說惡法，教人看不破，放不下，得不到自在。人為什麼顛顛倒倒？就因為執著，一切放不下。

古詩云：「古來多少英雄漢，南北山頭臥土泥。」你們想一想，看一看，所有的人，誰能逃出生死關。在一生之中，圖個好名，死了名也沒有啦！貪個大官，死了官也沒有啦！一切成空。中國有個秦始皇，他修萬里長城，為保護子孫萬代作皇帝。不料才傳到第二代胡亥時，只做了三年的皇帝，就被丞相趙高所弒，這不是枉費一番心機嗎？

古今中外，發大財當大官的人，糊塗過一生，爭名奪利，造了多少孽障。死時兩手空空去見閻王。由此觀之，我們參禪一定要用功，不可懈怠，不可放逸，錯過機會，後悔莫及。所謂「一寸時光，一寸命光」，有人說：「等我功成名就時，再放下一切，專心修道。」可是時光不等待，那就晚了。

參禪也好，念佛也好，只要認真修行，都能出離生死關。到臨終時，身無痛苦，心無貪戀，如入禪定，含笑往生，這才是對生死大事有把握！

天竺取經的玄奘大師

大師生於隋文帝仁壽二年（西元六〇一年）。河南陳留人，俗姓陳氏，幼年即有過人的智慧。七歲開始讀五經，在十三歲那年，隨其二兄長捷法師到洛陽淨土寺出家，誦習經典。隋朝制度，凡是出家修道之人，必須經考試合格，頒發證書，才有資格作為沙彌。此時，正逢洛陽度僧，大師年幼，不能參加考試。他在考場門前徘徊，望之興嘆！而被主考官鄭善果發現，認為是佛教龍象，破例特取度之。

大師在二十歲，受具足戒之後，到處參訪善知識，發現眾師所說，與經典頗有歧異，令人無所適從。尤其十七地論，見解不同。乃發願到天竺（即今日印度）研究，以解其惑。

由於赴天竺路途，要經過崇山峻嶺、崎嶇不平的山道，所以大師在未啟程之前，先練習爬山越嶺的技術，先用桌櫈之類物品，堆成假山，從這邊爬到那邊，再從那邊爬到這邊。一天練習多次，後來自己感覺爬山的技術不錯，又到山上去實地練習，約有一年經驗，技術方臻熟練。

於是上表，申請到天竺取經。當時（唐朝）的法令，禁止人民出境，所以未獲唐太宗（李世民）批准。惟大師拿定主意，無論批准與否，決定赴天竺一行。所以最後不得不私自出境。

從長安出發，隻身向西行，經過一山洞，見洞口有蝙蝠糞。當時大師在想，這洞中一定無人住，否則不會有這樣多的蝙蝠糞。好奇的心理向洞中走去，在不遠的地方，發現一個怪物，頭上的髮結在一起，蝙蝠作窩其上，窩中小蝙蝠吱吱哇哇在叫。臉上的塵土很厚，好像石頭人。大師走近仔細一看，原來是位老修行，已經入定。大師念「阿彌陀佛」，令他出定。一會兒，這位老修行開始動彈；大師便問：「老同參！你坐在這裏做什麼？」老修行的嘴巴，動了幾次，才發出聲音來：「我在這裏等待釋迦牟尼佛出世，以便幫助佛弘揚佛法。」大師說：「老同參！釋迦牟尼佛已入涅槃了。」老修行一聽，很驚奇的問：「釋迦牟尼佛在什麼時候出世？」大師說：「在一千多年前，出現於世。佛滅度已經很久啦！」老修行又說：「既然釋迦牟尼佛入涅槃，那麼，我還是入定，等待彌勒佛出世，我再幫助他弘揚佛法吧！」大師說：「老同參！你不需再入定了，等彌勒佛出世時，你又要錯過機會，不如現在去長安城投生，將來我取經回來，你幫助我弘揚佛法。」

老修行一想，言之有理，於是答應大師的要求。大師對他說：「你到長安城之後，找那一家房子最高，房頂的瓦是紅色，便進去。」老修行辭別玄奘大師，二人分手，一向東走，一向西行，各奔前程。

玄奘大師經過跋山涉水，迭遭災難而不灰心。曾經誓言：「寧向西天一步死，不願東土一步生。」這種為法忘軀的精神，實在偉大！所以完成他偉大的事業，對中國佛教有所貢獻，創立唯識宗。所謂「見賢思齊」，我們希望成就道業，應以大師為寶鑑，作為模範，向他看齊，把本有的智慧現出來，為佛教貢獻一分力量。

一日復一日，大師餐風宿露，披星戴月，向西進行。抱著堅忍不拔的意志，不到目的地——天竺，決不休息。所謂「有志者事竟成」，經過千辛萬苦，在路上行走三年，終於到達天竺的佛教大學（那爛陀寺），拜戒賢論師為師（當時天竺唯識學權威），專學十七地論及瑜伽論等經典。學成歸國，路經曲女城，為戒日王所請，在該城成立辯論大會，參加有十八國的國王，以及大乘和小乘、婆羅門和外道等，約有六千人，盛況空前。大師為論主，稱揚大乘，序作論義，寫懸於會場門外，並言如改一字，願拜他為師。經過十八天，無人能改，最後勝利，名揚五天竺，無人不知，無人不曉，這位大名鼎鼎的玄奘大師。

於貞觀十九年（西元六四五年）正月廿四日，歸長安，當時僧俗出迎有數十萬人。太宗皇帝派相國梁國公房玄齡等為代表，歡迎大師於弘福寺，從事翻譯經典工作。

玄奘大師，在天竺留學十二年（在路上往返耽誤五年），成為中國留學生的祖師。取回的經典有五百二十篋，計有六百多部。將全部經典貢獻於國家，特蒙皇帝召見，嘉獎一番。

大師見皇帝後，便向皇帝賀喜：「恭喜陛下。」太宗感到很奇怪，便說：「喜從何來？」大師說：「陛下得一位太子，今年已十八歲了。」太宗有丈二金剛摸不著頭腦的感覺說：「沒有呀！」玄奘大師心想：「明明指示老修行來投胎，怎會沒有呢？」於是在定中觀察。哎呀！老修行走錯門，投錯胎。誤入尉遲敬宗家中。大師將這段因緣，向皇帝報告。太宗說：「原來如此，你就去度他吧！」

玄奘大師專誠拜訪尉遲敬宗將軍，說明來意，要求見公子（窺基——出家的法名）一面。尉遲敬宗令其子來拜見大師。玄奘大師一見，心生歡喜。因為窺基的身體，非常魁偉，相貌堂堂，一表人才，是載法之器。所以開門見山的說：「你跟我出家吧！」窺基一聽，莫名其妙，不悅的說：「你說什麼？教我出家，豈有此理！」轉身而去。

玄奘大師無法可施，乃請太宗皇帝幫助，成就這段因緣。太宗為續佛慧命，乃下詔書；命窺基入朝，強迫出家。窺基嚴辭拒絕，違抗聖旨。經玄奘大師再三的勸慰，勉強同意。他有三個條件：一、不持日中一食的戒律。二、不斷酒肉。三、還要美女。這三個最苛的條件，玄奘大師一一答應，便對他說：「絕對沒有問題，樣樣照辦不誤。」所以在窺基出家之日，載了一車美女，一車肉，一車酒，陪他一起出家。當時長安的人，稱窺基為三車和尚。

窺基來到寺中，聽到鐘鼓之聲，豁然大悟，曉得自己就是那位老修行的轉世，來助大師弘揚佛法。於是乎遣回三車，守清淨戒，專心幫助大師譯經。成為當代大德，為唯識宗第二祖。

玄奘大師取回的唯識三十頌論有十家，大師皆譯為華文，按照論中的意思，一字不減，一字不添，照原意譯出。此時窺基擔任整理論文，大師將十家之論譯完之後，窺基要求大師說：「這十家的論，各有其長，各有其異，若不統一，令今後學者，有歧路亡羊之苦惱，不如去其糟粕，留其精華，合成一本，令今後研究唯識的人，獲得同一的結論。不用浪費時間，而得到法要。」大師同意他的見解是正確的。因此產生一本唯識論，即是現在三十頌唯識論。後來大師又傳授他因明學，成為唯識專家，宣揚唯識思想為宗旨。

大師回國第二年，奉詔撰大唐西域記一十二卷。於唐顯慶五年（西元六六〇年）大師五十九歲時，開始譯大般若經。梵本有廿萬頌，大師廣譯，不敢刪略，一如梵本，經過四年的時間，譯成六百卷。次年，擬譯大寶積經，不幸，患病而輟筆。

唐麟德元年（西元六六四年）二月，大師圓寂，年六十有四，葬於樊川北原。大師所譯的經典有七十五部，一千三百三十五卷，成為中國四大譯經家之一。其弟子甚多，以窺基、圓測傳承唯識，普光、神泰傳承俱舍。

隋唐二朝，是佛教黃金時代，百家爭鳴，祖師輩出，各創宗派，當時有十宗，小乘有二宗，大乘有八宗。其中三論宗和唯識宗的思想，完全保存天竺原有的思想，原封不動，搬到中國來。另外天台宗（以法華經為宗）和賢首宗（以華嚴經為宗）的思想就變質了，將中國的思想摻雜在內，這四宗是研究佛理，成為教門。乃至演變成現在的五宗派：教、禪、淨、律、密。其實目的是同入究竟涅槃，不過修持方法有所不同而已。

專一其心，用志不分

所謂「行住坐臥，不離這個。離了這個，便是錯過。」「這個」是什麼？就是用功參悟的話頭。用真心來辦道，提起綿綿密密不斷的話頭來參悟，來研究。一時一刻，一分一秒，也不生雜念妄想，總是念茲在茲去參悟自己的話頭。那有時間講話，打閒岔？也沒有時間躲懶偷安，更沒有時間說人家是非。專一其心，在參悟話頭。

所謂「事事都好去，脾氣難化了，真能不生氣，就得無價寶。再要不恨人，事事都能好。煩惱永不生，怨孽從那找。常瞅人不對，自己苦未了！」參禪打坐，具有這種思想，才能入門。

在禪堂裡，每個人都要迴光返照，反求諸己。問問自己，是在用功？還是在打妄想？看看自己，是迴光返照照自己？還是反光鏡照外邊？這一點要特別注意。

在禪堂裡，要記住這兩句話：「摩訶薩不管他，彌陀佛各顧各。」時時刻刻管自己，不可去管他人。更不可打閒岔，障礙人家用功修道，耽誤他人開悟的時光。這種行為，最要不得。我常對你們說：「真認自己錯，莫論他人非，他非即我非，同體名大悲。」人人有這種思想，就不會亂講話，打鬧岔，一心一意用功辦道，並無二想。

參禪的人，要把根本問題認識清楚。什麼問題？就是習氣毛病。我們打禪七，就是打掉惡習氣壞毛病。洗心滌慮，解除妒賢嫉能的心理。把嫉妒障礙心、無明煩惱心，統統滅盡，這樣，真心現出，智慧現前，才有好消息。

人為什麼講是講非？因為愚癡。為什麼嫉妒障礙？因為愚癡。為什麼有害人心？因為愚癡。凡是做出不合理的事，都因為愚癡。為什麼愚癡？因為沒有禪定的功夫，所以沒有智慧。在人我是非圈中轉，跳不出圈外。這一點要迴光返照，要認清自己的過錯，痛改前非，不要緊抱著臭習氣而放不下。

打坐的時候，為什麼要睡覺？因為求法心不真實。如果真心求道，絕對不會睡覺。大家不妨試一試，這個道理正確不正確？

禪堂是選佛的道場

大家在禪堂裡，參禪打坐，就是考試。看誰能考上佛的果位。怎樣才能考上呢？就要內無身心，外無世界。所謂「視之不見，聽之不聞，嗅之無味」。有了這種功夫，才有被錄取的希望。

為什麼說：「視之不見」？因為迴光返照。為什麼說「聽之不聞」？因為反聞聞自性。為什麼說：「嗅之無味」？因為收攝身心，不為味塵所轉。這時，眼觀色而無色，耳聽聲而無聲，鼻嗅香而無香，舌嚐味而無味，身覺觸而不著觸，意知法而不著法。到了這種境界，被選為佛，才有希望。不到爐火純青的時候，不到登峰造極的時候，不到百尺竿頭更進一步的時候，那是沒有希望的。所以在禪堂裡，不要把寶貴的光陰空過。古人說：「一寸光陰一寸金，寸金難買寸光陰。失落寸金容易得，光陰過去難再尋。」我們要把握時機，認真用功修行。修行之法甚多，唯獨參禪這法門，是最高無上的法門。這個法門，如果用功到相當時，能回過頭來，能轉過身，背塵合覺，而選為佛。

修菩薩道的人，外能捨國城妻子，內能捨頭目腦髓。只要有人需要，一切皆布施，絕不慳吝。只知道利益眾生，而不為自己打算。這樣的思想，在選佛場中才有希望被選中。大家要知道，是諸佛來選拔，大公無私，絕對不會僥倖被取，是完全靠真功夫的。

佛來選佛，而不是魔來選佛。可是魔來助佛。佛是在正面教化眾生，魔在反面教化眾生。反面來鼓勵你，給你機會，發大願力，用功修行，所以魔是反面的善知識。

我常說：「魔是磨真道，真道才有魔。越磨越光亮，光亮更要磨。磨如秋中月，空中照群魔。群魔照化了，現出本來佛。」所以對魔不要有敵對的心理，當做助道的善知識。如是觀想，便心安理得無煩惱。

有人來誹謗我們，那是我們的善知識。我們本來做得對，可是有人批評不對，那麼，則要往對的去做，更要百尺竿頭進一步。所謂「見吾過者是吾師」。能說出我們毛病的這個人，就是我們的老師，應該感謝他，不可仇視。

諸佛不像我們那樣的糊塗。你若總戴假面具，也不會被選為佛。要選拔真裡求真，真中更真，要真真真真真真！有七個真，才有希望。所謂「七真八正」。在禪七中，七天要真修行，第八天就改邪歸正。這時的習氣毛病，一掃而光，脫落淨盡了！

供養無心道人

供養十方三世諸佛，不如供養無心道人。什麼是無心道人？就是在禪堂打禪七的人。他們沒有求名求利的心，把財色名食睡五條地獄根，都拔出來，無心無念在參禪，所以叫無心道人。

在西方想要真正弘揚佛法，就要修無心道人的法門。並不是希望某某人，來護法供養無心道人。如果貪圖供養，那就是有心。所以我們在打坐的時候，要老老實實參禪習定，不可妄想叢生，接二連三，像演電影一般，一幕一幕現在眼前，那就離道有十萬八千里。越走離家越遠。作為外鄉的遊子，多麼可憐！

我們修道，要躬行實踐，憑真功夫。不要搞名搞利，不要自我宣傳。要學文殊、普賢、觀世音、地藏王諸大菩薩的精神，護持道場，教化眾生。菩薩認為眾生有成就，和自己有成就是一樣，沒有彼此之分別。菩薩是見聞隨喜，來讚歎有功德的人。

俗語說：「有麝自然香，何須大風揚。」無心道人，修到極點，自然有感應。做佛事就是佛，做菩薩事就是菩薩，做羅漢事就是羅漢，做鬼事就是鬼。這是很自然的現象。修道不可找捷徑，投機取巧。要腳踏實地，按部就班，認真修行，才有成就。

禪堂裡的規矩

做維那要注意，在開靜的時候，先打一下引磬，令大家準備站起來；看看準備妥當，再打第二下引磬。這時，大家一起站起來。然後，再打兩聲木魚。開始行起來。在跑香的時候，分為內外兩圈。跑快的人，在外圈跑；跑慢的人，在內圈跑。這是折衷辦法，自在來修行，快慢均可。所謂「緊了繃，慢了鬆。不緊不慢才成功。」這是沒有定法。在金剛經上說：「無有定法，名阿耨多羅三藐三菩提。」要說一定，就會發生毛病。在金剛經又說：「是法平等，無有高下。」修行這個法，都要平等。佛雖然有三身四智五眼六通，可是佛不覺得和眾生有什麼不同，所謂「心佛及眾生，是三無差別。」心是佛，佛是眾生，眾生是佛，佛是心。

走得快也是參禪，走得慢也是參禪，隨自己的體力來決定。要任運自然，一點也不造作，一點也不要勉強，要這樣精進、用功、忍耐。腰痠腿痛，不要管它。什麼也不要了，這就是布施。身不去作惡，這是身業清淨。口不說是非，這是口業清淨。心不打妄想，這是意業清淨。三業清淨，就是持戒。能忍受一切痛苦，就是忍辱。能不斷的用功修道，無論遇到什麼困難，而不退心，就是精進。能坐下來，如如不動，了了常明，就是禪定。由禪定而生智慧，就是般若。六度圓滿，便到彼岸。

到止靜的時候，維那要看班首已到他的坐位前便敲一下木魚。大家各站各人的座位前。等都站齊，再敲一下木魚，這時，要端然正坐，把脊背挺直，不可低頭彎腰，所謂「坐如鐘」。頭要正，腰要直，好像一個大鐘，四平八穩。參「念佛是誰？」不是念這句話，而是參這句話。研究這個「誰」字。有人說：「我知道，念佛是我。」這是不對的。這句話頭若是明白了，就是明心見性，徹法底源，借道還家。不是像你所說那樣的簡單，那樣的容易。「就是我嘛！我在念佛。」那麼，死了之後，還有人在念佛嗎？是沒有的，既然沒有，怎會是你在念佛？要曉得念佛的人，是不會死的。你會死，念佛不是你。念佛成佛，成佛又是誰？誰去成佛？你已經死了。所以就在這個地方要參，參到海枯石爛的時候，也不放鬆，追根究底的參，終會有水落石出那一天——豁然大悟，原來如此！

要修無相的功德

在禪堂裡是選佛的地方，是種功德福田的地方。所謂「若人靜坐一須臾，勝造恆沙七寶塔。」為什麼要這樣說呢？因為在外邊所造的寺塔，乃是有形有相的功德。在金剛經上說：「凡所有相，皆是虛妄。若見諸相非相，即見如來。」若能靜坐片刻的時間，就有永不磨滅的功德。有人說：「外邊的功德我不做了，來修內邊的功德。」這種思想也是不對的。而是要並駕齊驅，修功修德，到功德圓滿，福慧具足，成為兩足尊。

當知所造的廟，經過長時間，皆會變壞。所建的塔，經過劫火，會被燒空的。唯獨靜坐，能把自性中的佛法僧三寶修行成功——這是無漏的功德。不怕風雨，不怕劫火，永遠存在，所以無相功德勝於有相功德千萬倍。

在禪堂裡，把妄心停下來，現出真心來修道，就有無量功德，否則，就無功德。所以才說：你能靜坐片刻的時間，就勝過造恆河沙數那樣多的七寶塔，比那功德還要大。

各位來參加打禪七，都是有善根，才遇到這種因緣，共同來參禪。現在要把心清淨下來，不可心猿意馬，時刻不安靜，總想向外跑。那就和道不相應，浪費了七天的光陰。一無所得，辜負當初的發心。設法控制妄念，令心靜下來。所謂「心清水現月，意定天無雲。」因為這種原因，擬在明年（一九八二年）舉行十個禪七，靜坐七十天。今時今日，在全世界找不到連續打十個禪七的道場了。

萬佛聖城要將末法改變為正法，所以我們拚命修行，用功辦道。如有人想實實在在修行，只有到萬佛聖城來，才有機會真修行。在外邊修行，不過在皮毛上打轉，敷衍了事。在名義上說是打禪七，實際上時間有所不同。萬佛聖城打禪七，從早上二點半鐘開始行香，到夜裡十二點才休息，在中間只有一小時養息香，這是打禪七的規矩。

出家的因緣

一九八一年七月十六日至廿三日禪七開示
於萬佛聖城萬佛殿

一、虛雲老和尚

虛老是湖南省湘鄉人氏，俗姓蕭，父玉堂公，曾任福建省泉州府知府之職，為官清廉，愛民如子。年逾四十，膝下無子。夫婦到城外觀音古寺求子，心誠則有感應。回府之後，夫人果然懷孕。十月期滿，夫婦同夢一位老者，長鬚青袍，頭頂觀音，跨虎而來。驚醒，胎兒降生，乃是一個肉團（八地菩薩，才有此境界），母驚嚇而氣絕。

翌日，來一位賣藥的老翁，用刀將肉團割開，內有一男嬰，由庶母撫育。虛老因有善根，不喜讀儒家之書，對功名視為浮雲，可是對佛經頗有興趣，年少即萌起出家修道之念。某次逃到福州鼓山擬出家，被家人找回。其父遣之回湖南老家去，請二叔嚴加管教，杜絕其出家之念。

虛老是獨生子，三叔早亡，無子，故成為「一支兩不絕」的繼承人。按當時的風俗，可以娶兩個太太，一個是父母的媳婦，一個是叔父的媳婦。使兩支都有後代，可以延續香火。這是一舉兩得的事，一般人求之不得，可是虛老認為是苦惱事。

為傳宗接代的使命，奉父叔之命，在十八歲時，和田氏及譚氏二女，同時舉行結婚儀式。此二女都是名門閨秀，深明大義。結婚之夜，虛老向二女約法三章，有夫妻之名，無夫妻之實。保持童真之體，三人同居，互不侵犯，相安無事。

次年，虛老決心出家修道，徵求二女同意（此二女後來出家為尼），偷偷離開溫暖的家，來到福州鼓山湧泉寺，禮妙蓮長老為師，名演徹，號德清。虛老深恐被家人再找到，乃在深山巖下修苦行，飢時吃松子和草葉，渴時喝山澗之溪水。這種苦行，非一般人所能修持的。所謂「穿人所不能穿，吃人所不能吃，忍人所不能忍，受人所不能受。」面臨種種考驗，而他受之泰然，不但不覺得痛苦，反而感覺快樂。

三年之後，為親近善知識，為研究佛法，乃到處參方。凡有高僧大德之處，無論千山萬水也擋不住其求道之心，跋山涉水去親近善知識，得到法益。在參方期間，處處受到歧視。但虛老本著堅忍不拔的意志，為求法而忘己，雖經多次挫折，猶不灰心，不變初衷，勇猛向前，精進學習。這種精神，使人欽佩，令人效法。

後來，為報母恩，發心三步一拜，從普陀山拜向五台山。三年的時間，完成志願，功德圓滿。以下述虛老在三步一拜，發生感應道交的小故事。他拜到黃河岸的時候，正逢天降大雪，三天三夜不停。他住在小茅棚中，又飢又寒，已失去身體的知覺，不省人事。醒時，發現有一個乞丐為他做飯。食後，恢復元氣，乃繼續朝五台山。後來到五台山，才知這個乞丐原來是文殊菩薩的化身。

虛老在九華山住茅棚的時候，聽說揚州高旻寺打八個禪七，乃前去參加。從九華山沿江而行，時逢大雨季節，江水氾濫，水漫路面，不慎失足，掉落水中，漂流二十四個小時之久。流到采石磯的附近時，被打魚的網上來。此時，虛老已經奄奄一息。漁夫通知附近寶積寺，抬回寺中，而被救活。可是七孔流血，病況十分嚴重，休息數日，為法忘軀，故將生死置於度外，仍到高旻寺參加禪七，不變初衷。

高旻寺的規矩，非常嚴格，執行非常認真，如有犯規，即打香板，毫不客氣。主持月朗禪師，請他代職，虛老不答應；遂按規矩打香板，虛老接受不語。但經責打之後其病勢加重，血流不止，病況危殆。

有人在想：「虛老如此用功修道，為何護法神不護持？令他掉在水中？」其實，還是護法神在護持。不然的話，漁夫怎會用網把他打上來？故在冥冥中實有佑護。此也是生死的考驗，看他遭受這次災難，有什麼感想？是否生退道心？「啊！我修行多年，又讀經，又拜懺，又燃指，又住茅棚，種種的苦行，我都認真去修，為何一點感應也沒有？算了吧！我不修行啦！我要還俗，過五欲的生活。」如果這樣一想，就不會做禪宗五宗之祖師了。

虛老在禪堂中很守規矩。尤其高旻寺的規矩最認真，彼此不准講話，就是同住之人，互相不知姓名。虛老雖然病得很厲害，仍隻字不提，也不說出落水被救的事。只是一心一意參禪。二十天後，病況好轉，此乃蒙佛菩薩之加被矣。

有一天，采石磯寶積寺住持德岸法師，來到高旻寺，發現虛老在欖上端然正坐，容光煥發，大為驚悅，乃將虛老落水被救之事，向大眾宣布。眾人皆欽歎不已。禪堂內職，不令虛老輪值。至此，能一心參禪，直至一念不生的境地。

在第八個七的第三個晚上，開靜時，當值斟開水，不慎將開水濺在虛老手上，茶杯掉地，杯碎之聲，聞而開悟（明朝時紫柏禪師聞碗碎聲而開悟），乃說偈曰：「杯子撲落地，響聲明瀝瀝，虛空粉碎也，狂心當下歇。」又說：「燙著手，打碎杯，家破人亡語難開。春到花香處處秀，山河大地是如來。」開悟之後，離開高旻寺，更努力精進，雲遊四方，勤訪善知識。

後來到雲南，重修雞足山的寺院，因為經費不足，乃到南洋募款。乘船到新加坡，在船上患病。下船後，因為沒有護照，英人認為是傳染病，送到傳染病院。換言之，在該處等死。後來又被送到極樂寺閉關，不久病癒。又到泰國去化緣，在某寺掛單，入定九天，似死而非死，驚動泰京（曼谷），上自國王大臣，下至老百姓，咸來皈依虛老。信徒供養，布施鉅金，匯回雲南，作為建寺之需。

一九四七年春，南華寺傳戒，我才與虛老第一次會面。現在還記得，當傳完戒之後，虛老受點刺激，喉嚨發炎，不能說話，當時不便詳問，經過醫生的治療，始慢慢痊癒。

虛老一生，所受困苦艱難，真是一言難盡！我相信沒有任何人能經得起這種的折磨。他老人家在這一世紀中，自度度他，自利利他，許多出神入化、祥瑞之事，不勝枚舉。今天簡單向各位介紹虛老一生的事蹟，希望各位學習他老人家忍苦耐勞的精神。

現在的出家人，坐了幾天的禪，就想有感應，就想開悟得大智慧，未免貪心太大了。虛老一生之中，捨生忘死，才把本來面目認識清楚。我們受了什麼苦？

做了什麼功德？就妄想開悟，簡直是幼稚的想法。修道人，要志不退，願不退，行不退，一心一意向前精進，所謂「百尺竿頭，更進一步」。不管成就如何，只要發菩提心，努力修行，不要有所企圖，什麼五眼六通？什麼神通妙用？這不是修行所究竟的成果。切記！不要一天到晚，想神通，想開悟，那是修道的絆腳石。

二、宣公上人

【記錄者按】：宣公上人是吉林省雙城人氏，俗姓白，父富海公，一生勤儉治家，務農為業。母胡太夫人，生前茹素念佛，數十年如一日，從未間斷，好善樂施，有求必應，認為「為善最樂」。鄉里稱讚不已，稱為活菩薩。

於戊午年三月十六日，在夜間太夫人夢見阿彌陀佛降臨，身放金光，照耀世界，震動天地。驚醒之後，異香撲鼻，其味非常，清澈肺腑，真是不可思議的境界。不久，宣公降生人間，連哭三天三夜而止，蓋覺娑婆世界之苦不堪忍受故。今將宣公上人自述出家的因緣，摘錄如下：

我在十二歲以前，脾氣很倔強，倔強到什麼程度呢？凡是有人惹我的時候，就會哭，一哭起來，沒有完的時候。父母的話也不聽，非常任性，有時候不吃不喝，拼命的哭，令父母也沒有辦法。當時的想法，知道父母非常疼愛我，我若是不吃東西，父母的心會軟，會向我投降。我那時就是這樣的不孝，不體會父母的辛苦。現在想起來，實在不應該這樣不乖。

有一次，鄰居的小孩子來到我家，那時，我剛會爬，他也是在爬的階段，我們在炕上爬，看誰爬得快！我爬到前頭，不料他用嘴來咬我的腳。愚笨的我，不知反抗，只知大哭。現在想起來真可笑！

在十二歲那年，和同村小朋友到郊外去玩，發現一個嬰兒的屍體，我從來沒有見過這種事情，認為小孩子在睡覺，但叫也叫不醒，看他眼睛閉著，又不喘氣。我莫名其妙，乃回家問母親：「為什麼小孩子在郊外睡覺？」母親說：「那小孩子死了。」又問：「為什麼會死？怎樣才不死？」當時，有位親戚便說：「要想不死，除非出家修道，才能不死。」那時候，我對死很怕，也就是不願意死。又覺得生生死死沒有意思，遂起了出家的念頭，修道才能了生脫死。

有一天，我對母親說：「我想出家修行，不知媽媽同不同意？」母親說：「出家是好事，我不能攔阻你。可是等我死後，你再出家也不遲。」母親已經許可我出家，我心中非常高興，但是不能即刻出家。當時的我，反省過去做了不知孝順父母的事，惹父母操心，費了很多精神。怎樣來報答父母的養育之恩？左想右想，想出一個笨法子——向父母叩頭，表示懺悔。遂決定發這個心願。當我開始給父母叩頭時，父母嚇了一跳，便問：「為什麼要叩頭？」我說：「因為我以前不知孝順父母，惹父母生氣，現在知道不對，所以從今天開始，向父母叩頭。」父親說：「既然知道過錯，能改就可以啦，不必再叩頭。」我說：「孩兒的個性一向倔強，說出的話，一定要做到。」父母知道我的脾氣，不再說什麼，默許我的願心，接受我每天早晚叩頭。

從此以後，每天清早起來（家人在睡覺時），便到院中向父親三叩頭，向母親三叩頭。每天晚間（家人上炕睡覺後），又到院中向父母各叩三個頭。叩了一個時期，感覺不夠，又向天地叩頭。當時不知有天主、地主、人主等名詞，只知有天地君親師，所以每天早晚，給天叩三個頭，給地叩三個頭，給國家元首叩三個頭，給父親叩三個頭，給母親叩三個頭，給未來老師叩三個頭。這樣的叩頭，經過一段時期，感覺還不夠，又增加給天下大孝人叩頭，給天下大善人叩頭，給天下大賢人叩頭，給天下大聖人叩頭。

以後又增加給全世界所有的好人叩頭，也給全世界所有的壞人叩頭。乃對天叩頭，向天禱告，希望大惡大壞的人，改惡遷善，統統成為好人。這樣的增加下去，最後增加到八百三十個頭。每次要叩兩個半小時的頭，早晚兩次，需要五小時，我在院中，無論刮風下雨，照叩不誤。就是在冬天下大雪，也是在院中叩頭。用我的愚誠來叩頭，祈求風調雨順，國泰民安。

這樣叩了幾年，母親故去，我在母墓守孝三年，仍然在叩頭。守孝期滿，出家之後，開始研究經典，覺得佛經是世界最完善的經典，也是世界上最豐富的經典。其他宗教的經典，簡直是望塵莫及。

我在未出家之前，參加各種宗教的活動，曾經參加天主教的彌撒儀式，基督教的安息會，還赴旁門左道的法會。總而言之，到處尋覓了生脫死的方法，到最後很失望，找不到根本解決的方法。各宗教的教義，都不徹底、不究竟。但是發現天主教和基督教，普徧令一般人所接受。為什麼？因為他們的新約和舊約，譯成各國文字，義理淺顯，容易明瞭。

佛教的教義，雖然很圓滿，但是文字太深，非一般人所能明瞭，所以信仰的人很少。當時，我發了一個空願，決心將三藏十二部經典譯為白話文，再翻譯成世界各國文字。可是我不懂世界語言，也沒有機會學習，也沒有這種智慧，不知能否實現呢？

一九六八年，我來到美國弘揚佛法。到機緣成熟時，美國弟子們，便開始翻譯經典，完成我的志願。經過多年的努力，翻譯的成績頗佳，可是離目標尚有一段距離。希望大家再接再厲，努力工作。從事這種使命，乃是神聖的、清高的、無上的。把三藏全譯成英文，功德無量。

今天果斯發願，擬將佛經譯成英文，讓我想起在往日所發的願，盼望我的弟子，大家同心協力，來完成我所發的願力！

果佐行者

我駐錫於哈爾濱南三十里平房站三緣寺時，有一天，在定中觀察，知道第二天有個小孩子來出家。次晨，乃對弟子果能說：「今天會有個小孩子來出家。等他來時，告訴我！」在中午時，果能到我房中，用山東腔說：「師父！您說的那個小孩子，真的來啦！」我到前邊一看，是個十二三歲的男孩，五官端正，身體強壯，是比丘相。這個男孩見到我，好像見到久別的親人，情不自禁的哭起來，所謂「喜極而泣」。

我問他：「你為什麼要出家？」小孩子說：「因為我有病（他在五歲時，能替人家治病，可是自己有病，不能治自己的病），醫生檢查不出病源，束手無策，無藥可治。父母非常著急，到處求醫，仍不見效。有一天夜裡，我連做三個相同的夢，在夢中有位肥胖的和尚，對我說：『你的病，除非到哈爾濱三緣寺去找安慈法師，跟他出家修道，即能不藥而癒。否則的話，是沒有希望的。』我清清楚楚的記得，故徵求父母的同意，來到這裡，請安慈法師慈悲，收我為弟子。」

當時，我笑著對他說：「你認識安慈法師嗎？」他說：「我不認識。」我說：「既然你不認識，你怎能找到他呢？」又說：「我們這裡沒有安慈法師。」小孩子很有信心的說：「不會吧？剛才我進門時，就看見夢中那位肥胖和尚坐在那裡。（他用手指著彌勒菩薩）他不會騙人的。是他教我來的，絕對不會錯。」

我又問他：「你所說的夢話，有什麼根據令人相信？你是不是沒有衣服穿，沒有飯吃，沒有地方住，想來出家？」他堅定的說：「不是的！我是受肥胖和尚的指示，教我來找安慈法師，只有他才能醫好我的病。所以我走了一個多月，步行一千多里。（當時日本無條件投降，東北的鐵路，已經不通車）有時候，走過旅店，前邊沒有村莊，只好在荒地上睡覺。為趕時間，不顧一切。有一天夜裡，我在草坪上睡覺，忽然有狼群，很快將我包圍在中間，可是我不怕，乃對狼群說：「快點離開！不然，對你們不客氣，給你們個彈吃（手榴彈）。這時，狼群乖乖的走了。」這是他求法的一個小插曲。

他說完經過之後，用乞求的眼光看我。我要考驗他是否有誠意。於是將饅頭用口嚼爛，吐在地上，對他說：「你把它撿起來，吃下去！吃完再說。」他毫不考慮，也不嫌口水骯髒，撿起來就吞到肚中。考試及格，證明是誠心誠意來出家，於是授沙彌戒，成為一個小沙彌。

他受戒之後，用功修行，勇猛學習，毫不懈怠，又不放逸，不到半年的時間，便證得五眼六通，本事很高，可以說「神通廣大」。不是誇大之詞，是千真萬確的事實。當時的人，皆知小沙彌有神通。可惜他後來生出貢高我慢之心、自滿的心，認為自己了不起，因此神通便不翼而飛，要顯也顯不出來了。

我們修道人，要注意！無論有神通也好，沒有神通也好，千萬不要生驕傲的心，執著的心，更不可自我宣傳，自賣廣告。要安分守己，老老實實去精進，勤加修持，才能得到真功夫。千萬不可在皮毛上用功夫。聽到什麼音聲，看到什麼境界，便認為了不起。要曉得那離真道還有十萬八千里！

【記錄者按】：宣公上人在南華寺親近虛老時，蒙老和尚重視，特委要職，受命為南華戒律學院學監，不久轉為教務主任。在傳戒時，為尊證阿闍梨。以後虛老將溈仰宗法脈傳上人，成為溈仰宗第九代接法人。

為續佛慧命，上人從香港來到美國，極力提倡禪淨教三修的法門，打破門戶之見。規勸弟子們天天要坐禪，天天要念佛，天天要研究經典。三管齊下，才能收事半功倍之效。

上人有超人的智慧，有過目不忘的記憶力。講經說法，事前不擬草稿，觀機逗教；因時、地、事、人而說，滔滔不絕，頭頭是道，說出來義理圓融，所謂「辯才無礙」，令人歎為觀止。

上人講華嚴經時，能閉目誦經文，一字不錯，筆者認為未曾有，親目所見，親耳所聞，所以衷心的敬佩。在上人座下的弟子，都是受過高等教育的知識青年，對上人的德望學識，佩服得五體投地。

上人教導有方，弟子們循規蹈矩，認真修行，遵守佛制，時時搭衣，日中一食，夜不倒單。可以說，現在找不到第二處；所以萬佛聖城是世界的佛教中心，對所有佛弟子有不可思議的啟迪作用。

上人於一九六二年，來美之後，成立法界佛教總會，又成立四大道場。在三藩市有金山聖寺，在洛杉磯有金輪聖寺，在萬佛聖城有如來寺，在西雅圖有菩提達摩中心。為培養弘法的人材，特在萬佛聖城設立法界佛教大學、培德中學、育良小學。為使佛經流通於全世界，故在萬佛聖城成立國際譯經學院。現有四十餘位僧尼，精通數國之語言，埋頭苦幹，翻譯為英文之經典，已出版六十餘部，均獲各界好評。

在上人德高望重之號召下，有華籍、美籍、英籍、意籍、越南籍等青年男女，紛紛皈依受具、出家修道。其中有博士學位、碩士學位，及學士學位者，放下前程似錦的生活，入佛門求證真理。有的修苦行打餓七，或二十一日禁食，或三十六日禁食，或七十二日禁食。這種苦行在美國佛教史是空前的壯舉。希有之至！恆實和恆朝二位法師，為祈禱世界和平，發願三步一拜，已有四年，從未間斷，現在仍然圍繞著萬佛殿在朝拜，風雨不誤，身體力行，做一切佛教徒之榜樣。這種學菩薩道，為人忘我的精神，皆是效法上人而受他高蹈懿行所感動，殊值欽佩！

果舜行者

果舜是吉林省哈爾濱市人，俗姓姚氏，以農為業。夙秉善根，感覺世界，萬苦交煎，充滿罪惡，乃萌出世之念，到處訪求明師。有一天，在途中被日本兵（偽滿時代）發現，認為是無業遊民，強迫送到邊界去做苦工。

他被送到里河勞工營中，時時想逃走，但是找不到機會。因為營房的四周，用電網圍繞。如有逃者，不是被守兵槍擊而死，就是被狼犬所咬死。縱使僥倖逃過此二關，也逃不出電網，一定被電所燒死。這等於人間地獄一樣，苦不堪言。

有一天晚上，果舜在夢中，見到有位長鬚老人對他說：「今天晚上是你出離樊籠的時機，在門外有隻白狗，隨牠而去！」果舜驚醒，悄悄走到門外，果然見到有隻白狗，在等著他。遂跟隨狗的後邊，安全走出電網，逃回家鄉。他慶幸死裡逃生，又看破紅塵，故決心出家修道。

民國三十三年冬天，我到大南溝屯為高居士的母親治病。第二天，全屯傳遍高母病癒之奇蹟。這時，果舜聞之，來拜我為師。他長跪不起，我見其誠心，乃允許他的請求，滿他的心願。對他開示：「在家修道不易，出家修道更難。所謂『大事未明，如喪考妣；大事已明，更如喪考妣。』修行人還要忍人之所不能忍，受人之所不能受，吃人之所不能吃，穿人之所不能穿。要勤修戒定慧，息滅貪瞋癡，這是沙門的本分。」又為他說一首偈頌：「念念莫忘生死苦，心心想脫輪迴圈；虛空粉碎明佛性，通體脫落見本源。」

又對他開示：「現在是末法時代，出家者多，修道者少。信佛者多，成佛者少。你既然發願出家，必要發菩提心，作疾風中之勁燭，烈火內之精金。不可辜負出家之初衷，謹之慎之！」果舜叩頭頂禮，跟我到三緣寺受沙彌戒，法名為果舜。

果舜出家之後，勇猛精進，嚴守戒律，不懈怠、不放逸，但專一其心、參禪打坐。每次入定，往往經過一晝夜的時間而出定，在定中能知過去、現在、未來一切的因果，此乃是不可思議的境界。

於民國三十四年九月，果舜在大南溝屯的西山下，龍王廟之左，自建茅蓬，作為自修之所。落成之日，我率領果能、果佐、果植等去開光，當天夜裡，有十位龍神，來請皈依。我對他們說：「汝等職列水祇，受人供養。天時如此奇旱，因何不雨？」諸龍神異口同聲的說：「無玉帝敕命，小神不敢擅行降雨。」我乃對他們說：「汝等代吾奏帝釋（玉皇大帝），請求明日降雨，然後再為汝等授皈依。」第二天，果然天降大雨，解除旱災，農民歡喜若狂，感謝神恩，唱戲為酬，人神同樂。

因為果舜茅蓬開光，有此一段因緣，故命此茅蓬為「龍雨茅蓬」，以誌紀念。茅蓬中共有三人同修，是同村人。劉居士和楊居士，隨果舜做早晚功課，誦大悲咒為主課。後來劉居士出家為僧，楊居士被徵，參加八路軍，參軍之後，常常寫信回家，以後消息突然斷絕，家人十分惦念，懷疑彼不在人間。

於三十七年，七月某日，果舜和高居士在茅蓬中誦大悲咒，忽聽有人叫門聲，開門視之，原來是楊居士回來。他一言不發，到後屋去了。果舜繼續誦大悲咒，誦畢，到後屋去看楊居士，欲問他這二年到那兒去了？一進門，則見一狐狸，挾尾而逃。

果舜因為持大悲咒，已具威德，狐狸無法擾亂其心，乃現原形。大概是因為楊居士在戰場死了，其頭腦被狐狸所噬，故現楊居士之形來引誘。豈知果舜的定力到了不動轉的程度，邪不侵正，狐狸精始知難而退。所以修道人要經得起考驗，不要被境界所轉。

於三十四年七月十五日，盂蘭盆法會，我率領弟子，在佛前燃香，我乃發願：「若能活到百歲，則燒全身，供養佛陀，求無上道。」當時每個弟子，都發心願。

果舜也發願：「弟子果舜！若遇相當機會，願效藥王菩薩，燒全身供佛，不待百歲。」我在觀察中知道他宿有此願，所以允許他發這個願。

於民國三十八年四月十八日，果舜感覺一切無常，而佛教沒落，痛不堪言，悲不忍睹，乃發心燒身，以殉教難。自備油柴，端坐其上，自焚其身。次日，村人知之，大家來視，果舜全身成灰，唯心未焚化。村人敬之，將骨灰及心埋葬於殉難之處。

修道的六大宗旨

修道人，要有擇法眼，才能選擇何為正法，何為邪法。正法就是不爭、不貪、不求、不自私、不自利、不妄語——這是修道人的六大宗旨。依此宗旨去修行，就是正知正見。邪法就是有爭、有貪、有求、有自私、有自利、打妄語。有了這六種心，就是邪知邪見。正邪的關鍵在於此，所以這是正邪的分水嶺；向前流是正法，向後流是邪法。這一點，大家要認清楚。

如果沒有邪知邪見，不論魔王如何來擾亂，而你的定力堅固，不會動搖你的道心。所謂「佛來佛斬，魔來魔斬。」為什麼要這樣說？因為教你不要執著境界，就是佛來也不接受，何況是魔呢？在境界中的預兆，雖然有時很靈驗，可是不要相信。那麼，要相信什麼？就相信不爭、不貪、不求、不自私、不自利、不妄語。這六種宗旨，就是六把斬魔劍、降魔杵。有了這種正知正見之後，就算有天人現身來供養、來叩頭，也不動心。如果一動心，或生出歡喜心，歡喜魔便得其方便，乘機而入，來擾亂你修道，令你發狂。若生憂愁心，那麼，憂愁魔得其方便，乘機而入，來擾亂你的心，令你煩惱。或者動了執著心，或者動了我慢心，都會受魔來擾亂，使思想不清淨。所以無論遇到什麼奇奇怪怪的境界來臨，不要相信，不要動心。要相信自己的智慧，要明白自性能生萬法，明白自性本來清淨，明白自性本無染污，明白自性本不顛倒。若能這樣，還有什麼可求？凡有所求，即是染污。有爭、有貪、有自私、有自利、打妄語，都是染污。無論什麼法，可以用此六宗旨來衡量、來觀察，做為尺度。合者是正法，不合者便是邪法。

這六宗旨，能破天魔外道的邪知邪見。天魔外道所行所作，皆有所求。總是在爭、貪、自私、自利、妄語中打主意，一切為自己，而不為他人——這就是旁門左道的思想。

修道人，要行所無事。積功累行，不可執著。所謂「掃一切法，離一切相」。不可說：「我有什麼功夫，我有什麼修行。」或者，「我有什麼境界，我有什麼神通。」就算是有的話，都是虛妄不實，不可相信，免上其當。若相信異端神通，就不能成就正定正受。要曉得正定正受不是從外邊得來，乃是從自性中所生出來。怎樣能生出來？就是迴光返照、反求諸己，才有成就。

萬佛聖城是萬聖集會的地方，可是在四周也有魔王在等待機會。如有修道人的心不清淨，盡打妄想，魔王就入其竅，做你的顧問，譬如令你先知今天尚未發生的事。你若認為這是神通，就上了魔王的大當，做為他的眷屬。

不要聽到一點聲音，便認為虛空在說話，虛空本來無言語。所謂「離言說相，離心緣相」。假如聽到虛空有聲音，那就是魔的境界，不是大圓鏡智所應該有的。為什麼要耽著雕蟲小技？這是沒有出息的行為。

修道人，心要清淨，不要貪圖預先知道的事。先知道將要發生什麼，反而有麻煩，令你分心，精神不能集中，無法專一來修道，妄想紛飛，煩惱重重。不知道，不煩惱，即無罣礙。在心經上說：「無罣礙故，無有恐怖，遠離顛倒夢想，究竟涅槃。」這才是修道人所趣向的目標。

久參自然會開悟

參禪時，眼觀鼻、鼻觀口、口觀心，這是基本的法則，可以控制心猿意馬，不令向外馳求。在禪堂參禪，不可東張西望，如果前視後盼，心就跑到外邊去了，禪就參不下去。這一點，各位要特別注意！禪七的光陰，非常寶貴，可以說分秒必爭，不能空過，把握時機來參禪，參禪才能得大智慧。

修道人，不要把臭皮囊視為寶貝。沒有這種思想，才能用功修道。如有這種思想，則會做為它的奴隸，一天到晚為它服務。所以真正修道的人，將身體視為臭皮囊，不去重視它；如果重視，則成修道的障礙，所謂「借假修真」，方便而已。

在禪堂裡，最大忌諱，就是在參禪中睡覺。一般人參禪，犯了兩種毛病：一為掉舉，一為昏沉。不是打妄想，就是打瞌睡。用功的人，聚精會神在參，絕對不會睡覺。若是入定，另當別論。

坐禪可以證得正定正受，也就是三昧。若能證得此境界，便會如如不動，了了常明。如何能證得此境界？就要下一番苦功夫，勇猛精進、心無妄想，到一念不生全體現的時候，就找到本來的面目，本地的風光。

坐禪的關鍵，就在「念茲在茲」參話頭。所謂「久參自然開悟」。參到山窮水盡的時候，自然有好消息，柳暗花明的境界便出現眼前。有人說：「我參加多次禪七，為何還不開悟？」因為你不能忍耐一切苦，只想開悟。要知道開悟是從立功積德而來，久而久之，功德圓滿，自然開悟。可是你一點功德也沒有，就想開悟，簡直是癡心妄想，癩蝦蟆想吃天鵝肉，那是辦不到的。

修道不要爭第一

現在參禪的人，儘在皮毛上用功夫，把參禪當做比賽來爭第一。你能坐三小時，我要坐五小時，勝過你一招，有這種心理在作祟，焉能開悟？就是坐了八萬大劫，也不能明心見性。為什麼？因為你有勝負心。所謂「爭是勝負心，與道相違背，便生四相心，由何得三昧？」這首偈頌，是警惕修道人，不可爭第一。功夫到家，智慧現前，自然會有人評判你是第一——那才是真第一。如果心想第一，有這種勝負心，就與道相違背了。

修道的人，好像水一樣，有謙卑心，不爭功、不貪德，好的給人家，壞的自己留著。老子說：「上善若水，水利萬物而不爭。處眾人之所惡，故幾於道。」上善就是第一流的修行者，如水一般，向低窪之處流去。雖然水對萬物有利益，可是不爭其功德。不論是飛潛動植，或是胎卵溼化，一視同仁，供給所需。修道人，亦復如是，對一切眾生，視為過去的父母、未來的諸佛，要慈悲為懷，方便為門，拯救他們出離苦海。凡是眾人所不願意住的地方，也要去住，有這種的思想，就離道很近。凡是有勝負心，就不合乎修道的宗旨，就違背了道。

修道人，要沒有四相的心。無我相：誰在修道？修道的人也沒有了。無人相：沒有和人比賽的心。無眾生相：我相沒有，人相沒有，所以眾生相也空。無壽者相：既然眾生相也空，那來個壽者相？若是有爭強論勝的思想，就有四相心。有了四相心，從什麼地方能得到正定正受？這個道理，不妨琢磨琢磨。一言以蔽之，有四相心，即是凡夫；無四相心，即是菩薩。

修道人，要記住金剛經的四句：「一切有為法，如夢幻泡影；如露亦如電，應作如是觀」。凡是有形有相，皆是有為法。有為法，好像作夢，好像幻化，好像泡沫，好像影子，好像露水，好像電光，皆是虛妄而無實體。一切的一切，皆應該這樣來觀察，才能明白真實的道理，就不會執著，不會打妄想。

在金剛經上又說：「過去心不可得，現在心不可得，未來心不可得。」過去心為什麼不可得？因為過去已經過去了，還管它做什麼。現在心為什麼不可得？因為現在念念不停。你說這是現在，等你說完，現在又過去了，時間不會停留的。未來心為什麼不可得？因為還沒有來嘛！你說那是未來，可是它又來啦！連未來也沒有。所以過去現在未來三心了不可得。能依佛所說的法去修行，直截了當，可達涅槃之境。

修道人，要依正知正見的法為準繩，勇猛修習。這時候，「離言說相」：言說的相也沒有了，沒有什麼話可說的。「離心緣相」：心緣的相也沒有了，沒有什麼緣可攀的。「離文字相」：文字的相也沒有了，沒有什麼文字可代表，可說出來。既然說不出來，還有什麼可回憶？還有什麼放不下？還有什麼可認真？各位！要在這個地方用功，不可在皮毛上用功。

有人在想：「今天坐禪，腿不知疼，腰不知痠，不知不覺到開靜的時間。」因為你在睡覺嘛！當然什麼也不知道。不要誤認是境界。若有這個執著，則容易走火入魔，大上其當。

各位注意！凡是從外來的境界，不要注意它、不要理會它，聽其自然，不隨它轉。在楞嚴經上講的非常明白，希望參禪者，要徹底研究五十種陰魔的來龍去脈。楞嚴經是參禪人的寶鑑，所有修道人宜深入鑽研。

修道目的為成佛

為什麼要修道？為成佛。怎樣能成佛？初步修「諸惡莫作，衆善奉行。」進一步「勤修戒定慧，息滅貪瞋癡。」再進一步「發菩提心，行菩薩道。」所以在未成佛之前，要選擇光明平坦的大道去行，不可貪圖方便，去走崎嶇小路，那會迷失方向。謹之慎之！

真正的修行人，依法修持，不怕苦、不怕難，勇猛前進，直達佛果。所謂「鐵杵磨繡針，功到自然成。」用功用到極點，自然成就佛位。不可標異現奇，不可自誇其德，有這種思想的人，永遠不會成佛。

開五眼的境界，能見十方諸佛，在那裡怎樣用功修行，怎樣成佛果。能見十方諸菩薩，在那裡怎樣用功修行，怎樣成菩薩果。能見十方諸阿羅漢，在那裡怎樣用功修行，怎樣成阿羅漢果。這些境界，皆一目了然。

開五眼的人，一念之間，能將佛所說三藏十二部經典，通達明瞭，照了諸法實相。

在三皈依文說：「自皈依佛，當願衆生，體解大道，發無上心。自皈依法，當願眾生，深入經藏，智慧如海。自皈依僧，當願眾生，統理大眾，一切無礙。」如能「深入經藏，智慧如海」，這時候，無所不通、無所不明、無所不知、無所不見，這才是大徹大悟。不可因小失大，為貪圖小境界，而把本有的大圓鏡智遮住了，那就不能深入經藏，不能智慧如海。

開大智慧的人，絕對不貪小境界。凡是貪小境界的人，乃是不認識真假，把黃金當黃銅，或把黃銅當黃金，甚至不要鑽石而要玻璃。為什麼？因為沒有辨別真假的能力。

修道要有正知正見，不可顛倒是非，黑白要分清楚。不可魚目混珠，不可濫竽充數。否則，就是邪知邪見，永不成佛。

什麼是正知正見？淺言之，沒有三毒心，身心就會清淨，智慧就會現前，能照破無明的黑暗，能滅除煩惱的熱病。到這種境界，便證得果位。希望大家向這個目標邁進。

停止你的妄想吧

諸位坐在禪堂裡，表面上在打禪七，可是在心裡是打妄想。這個妄想，忽然而天，忽然而地，忽然而餓鬼，忽然而畜生。種種妄想，都離不開貪瞋癡。說是勤修戒定慧，可是不修戒定慧；說是息滅貪瞋癡，可是不息貪瞋癡，就是這樣的怪。不但一生一世是這樣，而且生生世世都是這樣。所以在六道輪迴中，頭出頭沒永不停止。做狗的時候，覺得是第一。做貓的時候，也覺得是第一。總而言之，無論做什麼眾生，總覺得自己是第一。為什麼？因為有無明的執著。如果真心修道，努力參禪，即能解脫輪迴之苦，證得涅槃之樂。

有的人修行不認真，隨梆唱影，在禪堂混光陰。人家坐我也坐，人家行我也行，人家怎樣我就怎樣。把生死的問題，拋到九霄雲外，一點也不認為重要。不肯真正用功，不肯決心修道，又不肯把妄想打死。坐在那裡，打一個妄想又一個妄想，沒有停止的時候。一天打了八萬四千個妄想，還覺不夠。妄想！妄想！被妄想搞得心亂如麻，神魂顛倒，太可憐啦！

那麼，怎樣才能不打妄想？別無二法，就是參頭話。話頭雖然也是妄想，可是它能令你的精神集中，不向外馳求。這是以毒攻毒的辦法，用一個妄想來控制多個妄想，將一個妄想參來參去，就沒有妄想。到了沒有妄想的境界，便是開悟的時機，這時候，或一言、或一行、或一舉、或一動，都是開悟的鑰匙。

入定不是睡覺

有人問我：「入定和睡覺有什麼不同？」簡而言之，入定的姿勢，仍然端坐，背直如筆，實正不偏，或者呼吸停止，或者脈搏停止，望之，好像活死人，但有知覺。可以坐一天不動，十天不動，甚至一個月不動。睡覺的姿勢，頭歪身斜而不自主，氣出氣入，呼呼有聲，甚至鼻息如雷。不同之處，就在這個地方。

參禪的過程，好像讀書一樣，由小學進中學，進大學，進研究所，經過這四個階段，才能獲得博士學位。參禪這個法門，亦復如是，分為四個步驟，也就是四禪的境界。簡略述之如下：

初禪名為離生喜樂地。就是離開眾生的關係，得到另外一種快樂。此非凡夫所得的快樂，而是在自性功夫裡邊。到初禪定中，呼吸停止。外邊呼吸停止，內邊呼吸活動起來，好像冬眠一樣的道理，不再贅言。這時，心清如水，明如鏡。照了自性的本體，而知道自己在打坐。

二禪名為定生喜樂地。在定中，出生一種無比的快樂，所謂「禪悅為食，法喜充滿。」得到這種快樂，不知道飢餓，所以可以多日不食不飲，沒有關係。但是不可執著，如一執著，前功盡棄，即入魔境，吾人不可不謹慎。二禪的境界，在定中不但呼吸停止，而且脈搏也停止。出定時，又恢復正常。

三禪名為離喜妙樂地，就是離開二禪之歡喜，得到妙不可言的快樂，覺得一切都是佛法，一切都是快樂。三禪的境界，在定中呼吸脈搏停止，意念也停止。這時候，不念善、不念惡，不念是、不念非，也就是一念不生。但不要認為了不起，這僅是一個過程而已，離生死還有十萬八千里。

四禪名為捨念清淨地。在此境界連快樂的念也沒有了，已把它捨棄，而到達清淨無所作為的境界。也就是到了無為而無不為的地步。到了四禪，乃是參禪功夫所必經之路，沒有什麼不得了，不要誤認是證果。如果這樣想，就和無聞比丘犯同樣的錯誤，而墮地獄。

四禪的境界，還是凡夫的地位。如果精進向前，證到五不還天的境界，才是證得聖人的地位。但此位尚未了生死，非得超出三界，才能了生脫死。這一點要弄清楚，不可混為一談。

楞嚴經是偽經嗎

憨山大師曾經說過這樣的兩句話：「不讀法華，不知如來救世之苦心。不讀楞嚴，不知修心迷悟之關鍵。」的確是這樣的情形。因為楞嚴經無法不備，無機不攝，乃是一代法門的精髓，成佛做祖之正印。所以參禪打坐的人，必須要熟讀研究這部經，才明悉五十種陰魔的境界，不會上魔王的圈套。否則，境界認識不清，不管什麼境界來臨，就執著它，便容易入魔境，為魔王眷屬。這是一件十分危險的事！

不但楞嚴咒要背得出來，就是楞嚴經也要背熟。所謂「熟能生巧」，到時候，便有無窮的受用，有不可思議的感應。凡是研究中國文學的人，楞嚴經是必讀之書。因為此經文辭優美，義理豐富，是一部最理想的經典。

有些自命不凡的學者，對於佛學未曾深入研究，認為自己是佛學專家，佛學權威，似是而非，不徹底瞭解佛教的真諦，亂加批評，冒然提出楞嚴經是偽經的謬論。別有用心的人，乃隨聲附和；這是盲從，實在可憐！

為什麼有人說楞嚴經不是釋迦牟尼佛所說的法門呢？因為此經所說的道理太

真實，把人的毛病說的太徹底。令妖魔鬼怪、牛鬼蛇神，無法橫行，原形畢露。所以要故意破壞，宣傳是偽經，令大家不相信楞嚴經，他們才有生存的機會。如果承認是佛說的法，他們做不到。第一，對四種清淨明誨不能守。第二，對二十五聖圓通法門不能修。第三，不敢面對五十種陰魔的境界。如果人人讀楞嚴經，明白楞嚴經，外道的神通則失去靈光，毫無效用，使人不再相信他有神通。因此天魔外道只好妄言破壞，大事宣傳，說楞嚴經是偽經。

不但在家人如此誹謗楞嚴經是假的，就是出家人也如是云云。為什麼？因為一般出家人，所受的教育有限，甚至還有目不識丁者，對於經典看不懂。尤其這部楞嚴經，文又深，義又妙，故無法瞭解，無法辨別真偽。如有人一說某某經是假的，某某經是偽的，此輩便不加考慮，人云亦云。所以楞嚴經便受到不白之冤。

古時在印度楞嚴經被列為國寶，禁止輸出國外，凡是出境者，皆嚴格檢查，深恐此經流出。海關對出境的僧人，特別注意。當時（唐朝時代）印度有位高僧，名叫般剌密帝三藏法師，他費盡心機，想盡辦法，將楞嚴經藏在臂內，瞞過檢查人員，帶到中國，從廣州登陸。此時，有一位被武則天女皇所貶的宰相房融，在廣州做太守，乃請般剌密帝法師翻譯此經，而他為潤筆，成為文學的巨著，並獻於武則天。因為當時有大雲經偽造的風波，故武則天將此經存在宮中，沒有流通。後來神秀禪師為國師時，在宮中受供養。有一天，發現此經，認為對於禪宗有價值，乃流通於世。這時，中國才流通楞嚴經。據傳說楞嚴經是最後來到中國；但在末法時代，楞嚴經最先毀滅。其他經典，也漸漸被毀滅，到最後，只剩下一部彌陀經。

【記錄者按】：宣公上人極力主張楞嚴經是千真萬確的諸佛心印。來到美國之後，第一次講經，就講楞嚴經。為什麼？因為佛法傳到美國，擬將末法變成正法。現在又將楞嚴咒淺釋，已出版問世。這是上人為續佛慧命，費了一番心血的成就。茲將楞嚴經淺釋，在萬佛聖城月刊分期刊出，以供讀者研究，漢英對照單行本，亦陸續問世，特此告知讀友。

要修般若波羅蜜多

「觀自在菩薩，行深般若波羅蜜多時，照見五蘊皆空，度一切苦厄」。這四句是心經的精華要理。略釋如下：

觀自在，是教你迴光返照，觀察觀察自己在不在？自己若在，就不會向外馳求，到處攀緣。若是不在，則容易妄想紛飛，甚至發神經。總要找機會，令人供養。有這種思想，那就不自在。

菩薩的行為，一切是利益眾生，以眾生為前提，絕對不是為利益自己。我們凡夫的思想，恰好相反，總想利益自己，而不利益眾生。無論做什麼事，先要計較一番，有利的就做，沒有利的就不做——這就是自私自利的表現。世界為什麼不能和平相處？就因為這種關係。你爭我奪，互不相讓，故而發生戰爭，造成國破家亡的殘局。

這位菩薩，他能行深般若波羅蜜多。從無始劫以來，一直到現在，生生世世都修深般若法，沒有間斷的時候。修深般若，第一，沒有驕傲心。若有驕傲心，就是愚癡。第二，沒有自滿心。若有自滿心，就是愚癡。第三，常生慚愧心。不生慚愧心，就是愚癡。第四，不生攀緣心。若生攀緣心，就是愚癡。第五，不生瞋恨心。若生瞋恨心，就是愚癡。第六，不生顛倒心。若生顛倒心，就是愚癡。我們修道人，以這六種心，做為標準，衡量自己所行所做，是否如法？如法就是智慧，不如法就是愚癡。換言之，勤修戒定慧，息滅貪瞋癡，就是智慧。不修戒定慧，不滅貪瞋癡，就是愚癡。智慧和愚癡的分別，就在這個地方。

要修深般若，才會照破五蘊中的五十種魔境。在色蘊中有十種陰魔，在受蘊中有十種陰魔，在想蘊中有十種陰魔，在行蘊中有十種陰魔，在識蘊中也有十種陰魔。總括來講，有這五十種；分開來講，有無數無量種。如有不慎，就墮入魔境。總而言之，凡是有邪知邪見的人，都是屬於魔的眷屬；有正知正見的人，都是屬於佛的眷屬。

行深般若波羅蜜多時，才能認清魔的境界，不會被其動搖。這時候，不但照見五蘊皆空，也度一切苦厄。五蘊皆空，即是真空。所謂「真空無人我，大道無形相。」一切苦厄，就是三災八難之苦厄。

若能將這四句經文的法，修到爐火純青的時候，就證得八風吹不動的境界。何謂八風？就是稱、譏、苦、樂、利、衰、毀、譽。這八種風，能吹得沒有定力的人，昏頭轉向，不知東西南北。今將這八風淺釋如下：

①稱：就是稱讚。人家稱讚你一聲，覺得比蜜還甜，心裡很舒服。

②譏：就是譏諷。人家諷刺你一句，就受不了，心裡就不舒服。

③苦：就是苦惱。受一點苦楚，就煩惱起來。一切苦來折磨你，看你受得了受不了。

④樂：就是快樂。受一點快樂，不要得意忘形。一切樂都是考驗，看你怎麼辦？

⑤利：就是利益。得到利益就高興，失去利益就悲哀，這是沒有定力的表現。

⑥衰：就是衰敗。無論遇到什麼艱難，要損失不計較，失敗不動心。

⑦毀：就是毀謗。有人毀謗你，說你的壞話，無所謂！應該處之泰然，自然風平浪靜。

⑧譽：就是榮譽。有人讚歎你，宣傳你的名望，仍要無動於衷，視功名猶如瓦上霜。

這八種風，是考驗心的法門，在逆境不動心，在順境也不動心。若是動心，就是修持不夠，沒有定力的功夫。若是不動心，便證明有功夫。但是不能自滿，自我宣傳：「八風也吹不動我，我的定力，猶如金剛一般的堅固！」這樣也不對。

在宋朝有位蘇東坡居士，他對佛學略有研究。雖然他禪定功夫還不夠，卻自覺定力到了相當程度。有一天，心血來潮，靈感而至，寫了一首偈頌：「稽首天中天，毫光照大千，八風吹不動，端坐紫金蓮。」以為自己已開悟，故請佛印禪師給印證。乃派侍者過江送到金山寺，老禪師一看，在原紙上寫上「放屁！放屁！」四個字，交給來人（侍者）帶回。蘇東坡一看，無明火有三丈高，大發雷霆，豈有此理！這是開悟的偈頌，怎說是放屁？於是過江來找佛印禪師算帳。不料，來到金山寺的山門時，佛印禪師已在那裡等待他的光臨，乃大笑說道：「好一位八風吹不動的蘇大學士，竟被屁風吹過江來，歡迎！歡迎！」（因為他們二人是老道友，時常開玩笑）蘇東坡滿肚子的火，剛要爆炸，被老禪師一說，覺得有理，於是承認自己定力不夠，乃向禪師頂禮謝罪。從此之後，不再說口頭禪了。禪是行的，不是說的，能說不能行，無有是處。

修道人不可打妄語

在禪堂裡要循規蹈矩，不能標異現奇。不能自以為是，而不守禪堂的規矩。要知道禪堂是造聖人（開悟）的處所，不可以破壞道場，令人失去開悟的機會。這一點，凡是參加參禪的人，要特別注意，要嚴守戒律，不可放逸。

參禪的機會是很難得到，千萬不可錯過。現在大家共同來參禪，這乃因為往昔所種下的善根，才有今天的機緣。用功修道的人，遇到打禪七的良好機會，要把握開悟的時機，就是一分一秒的時間也不浪費。不可因一時之快樂，而躲懶偷安。這樣會耽誤開悟的機會，又會墮落在三惡道。屆時，後悔也來不及了。所謂「莫待苦時方學道，三途都是懶惰人。」所以要時時在用功，刻刻在精進。

在禪堂裡，將話頭放在心上，行也參話頭，坐也參話頭，參來參去，把話頭參透了，就見到本來真面目。為什麼？因為話頭能照破妄想。乃至上不知有天，下不知有地，中不知有人——那會有時間去打妄想呢？要曉得妄想就是妄語，對基本的五戒不守，為爭而打妄語，為貪而打妄語，為求而打妄語，為自私而打妄語，為自利而打妄語。打妄語就是騙人，自己做錯事不承認，還替自己辯護，有這種思想和行為，焉能修道？

人為什麼用功不進步？就因為妄語打的太多。打一句妄語，就有一百個妄想生起。這時，坐也坐不住，站也站不穩，這是掉舉。不知如何是好，進也不知對不對？退也不知對不對？無所適從，很不如法。

真正修行人，處處守規矩，時時勤精進，絕對不打妄語，不去攀緣。希望大家不要向打妄語人學，更不要向不守規矩人學。這樣不但得不到利益，反而受其害，這一點要謹慎，要小心。如果被傳染，後患無窮。

真正修行人，不怕苦不怕難，時刻認真在修行。什麼是認真修行？就好像現在仍然在萬佛聖城裡三步一拜的這兩位行者，天天在三步一拜，不打妄語，也不去攀緣。一心一意在拜，不達到目的地——萬佛殿萬佛齊來——是不停止的。他們不分寒暑，不管風雨，照拜不誤。為什麼？一為祈禱世界和平，二為萬佛雲集萬佛聖城，這種大願多麼神聖！一點自私自利的成份也沒有，所以希望大家向他們二人學習，才是正軌的道路。

果真（恆實法師）真做到認真修行的地步了，他在四年前發願三步一拜時，就發止語的願。無論見到誰，也不言語，只是笑一笑，或者點點頭，表示禮貌，表示謝意。除非和我說話以外，就是和他母親也不例外。最近見到人時，笑也不笑，頭也不點了。不知內幕的人，認為他不禮貌，其實這才是真正修道人的本色，不為外來境界動搖其心。參！參！參到水落石出，就是本地風光。

修道人要受苦

所謂「受苦是了苦，享福是消福。」我們修道人為什麼要修苦行？一天只吃一餐，就為要了苦的緣故。苦了了，便是樂。

福有應享的福和不應享的福。應享的福，是自己工作所得來的代價，能夠住好房子，穿好衣服，吃好東西，坐好汽車，可以享受一番。但是，要知道享完之後，就消福了，而在福的銀行就沒有存款了。

不應享的福，就是在本份外求享受，由僥倖得來的福。好像強盜，搶人家的錢，自己享受，這是不講道理的享受，必會受法律的制裁。在福銀行的戶頭就透支了。

應享的福，享完之後，就報銷了福，何況不應享的福，硬要勉強享受？這不但消福，而且還要虧本。因為這種關係，福不可享盡，享盡就沒有福了。苦可受盡，受盡則沒有苦。我們做人，要明白這種道理。在困難環境中，歡喜接受逆境，這樣便無怨恨，也沒有不滿現實的心作祟。

研究佛法的人，其思想和行為，與世俗人正好相反。世俗人是順著生死去造業，修道人是逆著生死來消業。無論在什麼境界上，處之泰然，心安理得，便不覺得苦。所謂「吃得苦中苦，方為人上人。」這是至理名言。

現在講一個受苦的公案，做為參考。在明朝最後一位皇帝，名叫崇禎。他雖有皇帝的智慧，但是沒有皇帝的福報。為什麼？因為他的苦沒有受盡。

他前生是個沙彌，因為未到受具足戒的時候，就死了，所以還是個小沙彌而已。他做沙彌的時候，凡是搬柴運水的苦工，都由他來做，任勞任怨。天天做苦工，來護持道場。

有一天，他到房頂修理屋瓦，不慎失足，墜地而死。師兄弟乃報告方丈和尚。老和尚知道前因後果，便想成就小沙彌，替他了苦。於是對大家宣布：「這個小沙彌，做事不小心而跌死，對道場有很大的損失。因為他犯了侵損常住的過錯，要懲罰他。你們用馬來把他的屍體拖散為止，免得買棺材埋葬。」大家一聽方丈的話，不以為然。師兄弟們發惻隱之心，而不聽方丈的命令，因為不忍心這樣去做。於是共議：「我們是師兄弟，同修一場，應該把他安葬，不可用馬拖屍。」乃出錢買棺材安葬於荒山中。

這位小沙彌，因為替廟做苦工，積有功德，來生為人，做了皇帝，身為崇禎。

可是只做了十六年的窮皇帝。他在位的時候，天下大亂，內有李自成造反，外有清兵侵境，沒有過一天好日子，都是在憂患煎迫中度日。這是被好心的師兄弟害了他，使他的苦未能了盡。如果他們當時聽方丈的話，用馬拖屍。那麼，苦便了了，不會害得崇禎在煤山自縊，而為國殉難。

去妄心存真心

在華嚴經上說：「若人欲了知，三世一切佛，應觀法界性，一切唯心造。」你行佛心，就是佛。你行菩薩心，就是菩薩。你行緣覺心，就是緣覺。你行聲聞心，就是聲聞。你行天人心，就是天人。你行人心，就是人。你行阿修羅心，就是阿修羅。你行畜生心，就是畜生。你行餓鬼心，就是餓鬼。你行地獄心，就是地獄。所謂「十法界不離一念心。」由此可知，一切的一切，都是由心所造出來的。

有一首關於心的偈頌，說得很有道理：「三點如星佈，彎鈎似月牙，披毛從此起，作佛也由它。」仔細研究之，說得很恰當。

人在世上，要存正心，不可存邪心。什麼是正心？就是菩提心、平等心、大慈心、大悲心、憐愍心、布施心、慚愧心。什麼是邪心？就是自私心、自利心、嫉妒心、怨恨心、驕傲心、妄想心。我們修道的目的，就是去妄心存真心，也就是除邪心生正心。

我們一舉一動，要存正念，就是正知正見。不要存邪念，就是邪知邪見。有邪念的人，或者以是為非，以非為是，將黑作白，將白作黑，顛倒是非，黑白不分。他所作所為，自己認為是對，結果造成罪業，已墮地獄，自己還不知道。因為這樣，所以佛苦口婆心來規勸，不怕麻煩的一次又一次叮嚀：「不要走錯路！不要誤入歧途！」也就是告訴我們修道人，在道場中不可造惡業。所謂「毋以善小而不為，毋以惡小而為之。」時時要戰戰兢兢，深省警覺，「如臨深淵，如履薄冰」，來改善自己的習氣毛病，改善自己的惡劣行為，改善自己的聰明鬼伶俐蟲。要把自己弄清楚，不可糊糊塗塗混日子，以盲引盲，互相欺騙。搞得世界烏煙瘴氣，令世界一天比一天危險，最後成了世界的末日，同歸於盡。

有正念的人，是能引導世界的人，走向正大光明之路。人人有同情心，人人有互助心；你幫助我，我援助你，大家互相幫忙。所謂「助人為快樂之本」，又可以說：「為善最樂」。你要發善心做善事，這種快樂，無言可形容。只有行善者，才能體會其中意味。各位不妨試試行善事的滋味如何？它有妙不可言的樂趣。千萬不要走黑暗彎曲的路，不但自己會有失足之憂，也會引人誤入歧途。所以心要正大光明，方能照破一切黑暗。

迷時師度，悟時自度

現在是打禪七（一九七七年十二月十五日）的時間，諸位時時刻刻要提起「話頭」；去參禪，去用功。修道人，要自己修行，不要依賴他人，更不要依賴師父。我們是打禪七，不是打師父七。這一點要弄清楚。有人這樣的想：「師父在萬佛聖城的時候，我就用功修行。師父離開萬佛聖城，我就不認真修行。」這種思想，實在要不得。無論師父在不在萬佛聖城，都要勇猛精進的修行，貫徹始終，才有成就。否則，儘做表面的工作，那是自欺欺人的行為，永遠得不到解脫。

【記錄者按】：上人為法務繁忙，每星期在萬佛聖城住四天，在三藩市金山聖寺住三天。上人為法忘軀，風塵僕僕，兩地奔波，恆不休息。月月如是，年年如是，數年如一日，風雨無阻，這種精神，令人肅然起敬。

上人不但在白天為世間法而忙，就是在夜間也為出世間法而忙，晝夜辛苦晝夜忙，為了什麼？為復興正教，為發揚佛法，引為己任，埋頭苦幹，所謂「任勞任怨」，不計較名和利。

上人是萬佛聖城的燈塔，照亮弟子們的心，令其清淨。又創下萬佛聖城六大宗旨：不爭、不貪、不求、不自私、不自利、不妄語。萬佛聖城是世界佛教的燈塔，引導人人改惡向善，發菩提心，修無上道。

參話頭！就是參「念佛是誰？」念佛是誰？這要參！是那一個？說是「我」在念佛，那麼，我死了，這個「我」又跑到什麼地方去？根本那不是「我」。這樣來說，沒有「我」了。既然沒有「我」，那麼，在還活著的時候，就不需要修行了？這是不正確的想法。應該怎樣？就是要參本來的面目—父母未生以前的面目，是什麼樣子？參明白了，就可開悟。

念佛是那一個？時時刻刻在追究，分分秒秒不放鬆。其實用這種功夫，乃是以毒攻毒的方法。念佛是誰？雖然也是一個念，但是用一念控制一切念，用這個妄想，停止一切妄想。制止到了極點的時候，水落石出，真相大白，便能開悟。

什麼是開悟？就是真真實實認識自己是怎回事，證得空理，知道一切是虛妄，這是真知道。知「本來無一物，何處惹塵埃」的這種境界，也就是「明心見性」的境界。所謂「明心無難事，見性不知愁。」明心的人，什麼也不愁。所謂「自古神仙無別法，廣生歡喜不生愁。」這是修道人的座右銘。

修道人，無論遇到順或逆的境界，皆不動心。若能有這樣的定力，那就不會被境界所轉，而能轉境界，這才是修道人的真功夫。所謂「泰山崩前而不驚，美色當前而不動。」男人見到西施那樣美的女人，當做骷髏觀，自然不動其心；女人見到潘安那樣英俊的男人，當做白骨觀，自然不動其心。否則，見到美女或俊男，心猿意馬，七上八下，不知如何是好！若是這樣沒有定力，那就失去道業，多麼可惜！

今天我們聽了三步一拜二位行者的來信（請閱「修行者的消息」），曉得他們有這樣不可思議的境界，有護法善神的保佑。所謂「感應道交」，他們誠心的拜，真心的念，乃感動天龍八部，時刻在他們的身邊，處處逢凶化吉，遇難呈祥。我們要將他們兩位做為借鏡，照照自己是怎麼回事？要迴光返照，看看自己是不是這樣的清淨？這樣的光明？這樣有智慧？這樣不打妄想？

各位！聽經聞法，要自性自悟，自悟自度。不要依賴師父！要依賴自己。所謂「師父領進門，修行在個人。」要相信自己的智慧，不要相信自己的愚癡，這一點是非常的重要。我們打禪七的目的，就是自性自度。六祖大師曾經說過：「迷時師度，悟時自度。」我們現在參禪，應該分秒必爭，不可把寶貴的時光空過。所以在打禪七的時間，佛也不拜，過堂也不念供。為什麼？就是給大家專一用功的機會。多一分鐘參禪，便多一分鐘開悟。那有時間去打閒岔？去充殼子？去開小會？若三三五五，講是講非，講些無意義的話，把開悟的時光，輕易放過，尚不自知。這樣的參禪，就是參八萬大劫，也沒有希望。在打禪七的時間，一定要老老實實去參！參什麼？參「念佛是誰？」參「父母未生以前的本來面目！」這是開智慧的鑰匙。

新年快樂來參禪

一九八二年一月一日至八日禪七開示
於萬佛聖城萬佛寶殿

今天是新年，我祝各位新年快樂。本來這是世間的風俗，我們出世的人，不應該再有這種習氣。可是，要知道我們大家還在這個世界上，如果和世間距離太遠，那麼，和人的距離也遠了。所以還是依世俗之禮，向你們說一句「新年快樂」。茲又說一首偈頌：「今逢一九八二年，十方聚會來參禪，迴光返照觀自在，萬佛城中選聖賢。」

新年是快樂，我們參禪，應該得到禪悅為食，以參禪做為飲食。真正參禪的人，吃飯或未吃飯？忘了。穿衣服或未穿衣服？忘了。睡覺或未睡覺？忘了。參到極點處，上不知有天，下不知有地，中不知有人，和虛空合成一體，到無人、無我、無眾生、無壽者的境界。既然是這樣子，那麼，腿痛也不怕痛了，腰痠也不怕痠了，一切一切，都要用忍耐功夫來忍受著。既無人無我無眾生無壽者，那又有誰在痛呢？尤其是這種痛要過關，痛過去就不知痛。如果過不了關，便總是在痛中。若過了關，不但不知痛，而且非常自在，非常快樂。

參禪這一法門，沒有再比它更妙的，能得到禪悅為食，法喜充滿的境界。因為這個緣故，所以古來參禪的人，可以連坐幾天，不起於座。那麼，他的腿痛不痛？當然痛啦！可是他能忍受著。能忍人所不能忍的，能受人所不能受的。他有一種勇猛精進的力量，只知向前進，不知向後退，所以才有成就。

參禪要有忍耐心，那是開悟的本錢。好像做生意一樣，有了本錢，生意才能發展，才有希望賺大錢。我們參禪，要克服痛關。通過痛關，過了關之後，光明大道就在眼前，直達明心見性的境界。沒有過關時，好像「山窮水盡疑無路」的境界；過了關，好像「柳暗花明又一村」的境界。我們參禪，要有「捨不了死，換不了生。捨不了假，換不了真。捨不了苦，得不了樂」的精神，才能有所成功。

若能把困苦艱難的關打破，然後才能得到另外一種境界。因為這個緣故，所以我們要專一其心來參禪。各位注意！我們是來這裡參禪，而不是來這裡混光陰。要拿出真正的志願來參，拿出真正的忍耐來做。要知道世間的事，沒有不勞而獲的。沒有出力，而想得到代價，那有這樣容易的事？那是癡人妄想，不可能的事。非得拿出真正的力量來，才能有所成就。新年大家都有新希望，希望今年開悟，希望大家向這個目標邁進，若不到開悟的境界，不停止參禪。

千錘百煉鍛金剛

無論做什麼事情，都要經一番的鍛鍊，然後才會成功。參禪的法門，更不容易，要受多方面的辛苦和鍛鍊，才能上路。凡是打禪七的人，最重要的是有忍耐心；自己不願做的事，要忍耐去做。受不了的苦，要忍耐去受。要有這種精神，才夠資格參禪。否則，一切免談。身在禪堂內，心在禪堂外，參到何時，亦是枉然，無有成就可言。

我們喜歡做的事情，更要努力去做，不要辜負來參加打禪七的初衷。既然心甘情願受鍛鍊成金剛之體，那麼，能受得了的苦，更應該去受。所謂「受苦是了苦，享福是消福。」這一點，各位要特別注意。

亞洲弘法的感想

法界佛教總會所屬法界佛教大學，組織亞洲區訪問團，到東南亞弘揚佛法。在未啟程之前，我便知道會有種種的障礙，因為我到什麼地方弘法，一定會被人所嫉妬和障礙。為什麼？因為我太直，不會同流合污，所以遭人嫉妬。可是我有把握，邪不勝正，牛鬼蛇神，無能為患。

我有信心，佛菩薩時時護我的法。我所到之處，雖然遇到很大的障礙，但是不起作用，不會發生意外的問題，處處逢凶化吉，平安無事，這是蒙佛菩薩的加持。

我所到的地方，每天有很多患病的人，來求醫治。凡是患病的人，皆因業障深重。若是沒有業障，則不會生怪病。凡是來見我的人，都是生奇怪的病，中西醫皆束手無策，無法醫治的絕症。生怪病的人，在過去生中，多數貪便宜，不肯吃虧；或者吝嗇成性，一毛不拔，不肯布施，救濟窮人，處處為自己著想，不為大家著想，時時自私自利，見利忘義，所以搞得業障一天比一天重，終於生了怪病。

還有，患怪病的人，在往昔曾毀謗三寶，甚至謗大乘經，所以墮落在地獄受苦。從地獄出來，再轉為畜生，或為飛禽、或為走獸。做完畜生，再轉做人，可是做人時，多數六根不全，有種種的缺陷，或是瞎子、或是聾子、或是啞巴、或是跛子，總而言之，生理不健全。這類的人，在往昔造了惡業，故今生受這種果報。

受這種果報的人，本應該生大懺悔心，多做功德事，才是對的。可惜他們不但不覺悟，而且愛財如命。求我治病，仍然想貪便宜，希望不用花錢，而能治好病。病好之後，很慷慨的封一個紅包，做為供養。紅包內只有一塊錢（新加坡或馬來西亞錢），或者兩塊錢，至多五塊錢，他們想在出家人身上找便宜。他們業障這樣的重，還想貪便宜，這是多麼的可憐！

我為什麼對各位說這件事呢？因為令各位提高警覺，謹慎小心，不可造惡業，在佛教裡不可誹謗三寶，不可謗大乘經，不可狐疑不修行，不可妄語欺騙人。如果造這種種的惡業，將來一定會墮落地獄。到時候，做師父是愛莫能助，無法援救。事先聲明，免得屆時埋怨師父不救你出地獄。

參禪開悟要忍耐

參禪這一法，要腳踏實地的參，埋頭苦幹的修，勇猛向前進，絕不向後退。有這種的恆心，才是真正的參禪人。在參禪時，用忍耐心來克服一切疼。腿痛不管它，腰痠不理它。要想開悟，就得忍耐。不能忍耐，就不能開悟。這個忍，包括忍飢、忍渴、忍寒、忍痛，一切都要忍耐。若是能忍，就破除我執。若沒有一個我的執著，向內觀心，心也沒有了；向外觀形，形也沒有了；向遠觀一切物，物也沒有了。這時，內無身心，外無世界，這就是一個空。

這個空，還不能執著它，如有一個空的存在，那還是一種執著。要把空也沒有了，才能與法界合而為一，與虛空沒有什麼分別。這種境界到了極點，就是一個定。在定中，不是糊糊塗塗的，而是明明白白的，所謂「如如不動，了了常明」。不是說，我坐禪有所企圖，貪著有個什麼境界現前。如果有這種妄想，便會招魔來擾亂。在金剛經上說：「凡所有相，皆是虛妄，若見諸相非相，即見如來。」所以，參禪的人，不能執著境界的存在，更不要貪著一種神通。若有貪著，便會走火入魔。也不要貪著虛妄的名利，否則會入旁門左道，成為魔王的眷屬，實在可怕之至！

我們參禪的人，應該要無著無貪，所以才說：「佛來佛斬，魔來魔斬。」用金剛王寶劍（智慧）斬斷一切。好的境界不貪，壞的境界更不貪。千萬不要貪小小的境界，認為這是功夫，那會誤入歧途，不可不慎！

在打禪七的時間，把我忘了，把人忘了，把時間忘了，把空間忘了，所謂「掃一切法，離一切相」，什麼也不執著，一切放下，這時候，便能進入四禪天的境界。

四禪天的境界

參禪參到忘人無我的境界，便到初禪離生喜樂地。在這階段，破了眾生的執著，而得到禪悅為食，法喜充滿的受用。在此定的境界上，呼吸停止，無呼無吸，不出不入，有一種特別的快樂。這種快樂，是妙不可言的。總之，這是一般人得不到的快樂。

二禪是定生喜樂地。在定中得到最大的歡喜。坐在那裡，不飲不食。脈搏也停止，等於死人一樣，可是還有意念，知道自己在靜坐。

三禪是離喜妙樂地。在定中離開禪悅為食，法喜充滿這種的歡喜，而得一種妙樂。這種妙樂，無法可形容出來，是微妙不可思議的。在此境界，把念頭也止住了，沒有意念。所謂「一念不生全體現，六根忽動被雲遮。」

四禪是捨念清淨地。意念不但止住，而且也捨了。這時候，得到非常清淨、非常微妙的快樂。四禪的境界，還是凡夫的地位，尚未證果，不要以為了不起，此境界離證果尚有一段距離，應該努力去參，再接再厲去參，進一步才到五不還天的境界，那才是入聖人法性流。

有位無聞比丘，他參到四禪的境界，誤認為證了果位。乃到處宣傳，自己證了果。因為他對佛法不徹底了解的緣故，所以打妄語，最後墮於無間地獄。

參禪如龍養珠

禪譯為「靜慮」，又為「思惟修」。思惟就是參；靜慮就是「時時勤拂拭，勿使惹塵埃」。「思惟修」就是教你提起話頭，念茲在茲，時刻不忘的意思。所謂「朝於斯，夕於斯」，在自己的自性上用功夫，不是向外馳求。凡是外來的境界，若是跟著它跑，便很容易走錯路。從自性生出的境界，才是真境界。這一點，希望各位要弄清楚。否則，便上魔王的當，終於做他的眷屬。

靜慮這一法，要綿綿密密的用功，不要間斷。在用功的時候，好像母雞在孵蛋那樣的專心，又好像龍在養珠那樣的謹慎，又好像貓在捕鼠那樣的忍耐。參禪要有堅誠恆的心，不可有驕傲的心。不要以為我比誰都高，比誰都強。如有這種思想，那就是狂魔入體，功夫不會進步。

參禪的時候，不可打妄想。打妄想沒有真實的受用，浪費大好時光。參禪要有忍耐心、長遠心。參禪的密訣，就是忍，忍不住也要忍；忍到極點，豁然貫通，明朗開悟。若沒有忍耐心，不能吃得苦，不能耐得勞，遇到境界，便投降了，這種行為最要不得，是參禪的大忌。

金剛王寶劍斬妄想

參「念佛是誰？」就是一把金剛王寶劍，能斬斷一切妄想，妄想是開悟的絆腳石。釋迦牟尼佛在菩提樹下，初成正覺時，便說：「奇哉！奇哉！大地眾生，無不具有如來智慧德相，但因妄想執著，而不能證得。」佛明明白白地告訴我們，為什麼不能成佛？就因為妄想執著，所以要破妄想執著。如何破法呢？就用「誰」字，向下鑿，鑿到水落石出，便是成功時。

參禪就是參這個「念佛是誰？」時時刻刻在腦海中研究這個問題，不間斷的研究。時間一長，自然有消息。所謂「久坐有禪，久住有緣」。坐的時間久了，自然有禪。居住的時間久，東鄰西舍，自然有緣分，情感融洽，和平相處。

參禪參到火候時，不但沒有妄想，而且脾氣小了，煩惱少了，人品高了，氣度也大了。這時候，智慧現前，明白是非，辨別善惡，把貪瞋癡清理得乾乾淨淨，只有戒定慧大放光明，照見五蘊皆空。

靜極光通達

參禪的功夫，是由忍耐中得來的，是從受苦中換來的。不是說，我參的腿痛，就向後退。遇著困難，就要投降。這樣，不會有相應處。必要坐到極點，自有境界現前。所謂「靜極光通達」。靜到極點，智慧光明便現出，通達宇宙，照天照地。這時候，沒有貢高我慢的心，沒有驕傲自大的心，沒有嫉妬他人的心，也沒有障礙他人的心。看大地的眾生，皆有佛性，皆堪作佛。這時，智慧時時現前，愚癡時時減少，心明如鏡，光明普照，無拘無束，無罣無礙。

在禪堂裡是修戒定慧三無漏學。在禪堂不講話，沒有妄言、綺語、惡口、兩舌，把口造四惡的門關上了。在禪堂專一其心參話頭，不生貪念、不生瞋念、不生癡念，把意造三惡的門關上了。在禪堂靜坐不動，不會殺生、不會偷盜、不會邪淫，把身造三惡的門關上了。

這時候，五戒十善具足。行住坐臥，都修習定。定力具足，慧力現前，所以才說「靜極光通達」。靜極就是定，光通達就是慧。

修行先要修智慧

為什麼要修行？因為愚癡，儘做顛倒事，在輪迴中受苦，不得自在。因為求智慧，所以要修行。有了智慧才不會被魔境所轉，也不會認賊作子，更不會一邊修行，一邊起貪心，認識清清楚楚。因為有擇法眼，何者是正法，何者是邪法，一目了然，不會有魚目混珠的現象。

怎樣能開智慧？唯一辦法，就是參禪打坐，可以轉識成智；或者誦楞嚴咒，這是開智慧的咒。或誦楞嚴經，那是開悟的經，開悟之後，智慧現前。或研究三藏十二部經典，所謂「深入經藏，智慧如海。」

出乎意料之外

這次到東南亞弘法，見到許多人有奇奇怪怪的病，又見許多奇奇怪怪的事。以前我沒有注意，想不到居然有假冒喇嘛，利用下蠱的手段，來控制護法。真令我驚奇！這真是末法時代，才有妖魔鬼怪到處作祟。

這次在馬來西亞，遇到很多怪疾怪事，說起來真令人痛心！冒牌喇嘛想控制信徒，用一種蠱毒，下在護法人的身上，令受害者生一種怪病。假冒喇嘛們便從中控制善男信女。這種行為，壞到極點，將來的果報，真不堪設想。

以前我知道加拿大有個馬田喇嘛，他的行為很不正當。想不到在亞洲竟然還有這樣多玩弄邪術的人。不但在亞洲有這種假冒的佛教徒，恐怕在美洲也一樣有的。現在美國有奇奇怪怪的病發生，也許與他們有關係吧！

世界的人類，還不覺悟，迷迷糊糊覺得密宗有什麼妙法，可以即身成佛。想走捷徑的人，以為學習密宗之法，便會很快得到利益，這是一種錯誤的觀念。今天本來不願講這些不道德的事，但是我不能不說。為什麼？因為恐怕有人以盲引盲，誤入歧途。所以才說一說，供諸位做為參考。

古德經驗之談

所謂「性定魔伏朝朝樂，妄念不起處處安」。我們為什麼不滿現實？不滿環境？因為性沒有定，所以向外馳求，到處去尋找。這是貪心在作怪，若是沒有貪心，什麼也不求，什麼也不找了。這時候，心平氣和，天天是快樂。如果事事不知足，這樣也不滿足，那樣也不滿足，便妄想紛飛，總覺得不夠。這樣就發生種種苦惱。性若是定了，無論遇到什麼魔，都能降伏，這時天天都是快樂，這種快樂，不是從外邊來的，而是從自性發生的。如果不打妄念，不管到什麼地方去，都是平安無災難。所以這兩句偈頌，是古德經驗之談，身臨其境，親自體會出來的箴言。

世界佛教的中心

萬佛聖城是西方佛教最完整的一個道場，是最用功的道場，也是最修行的道場。凡是來萬佛聖城修行的人，都要有德行。沒有德行的人，在萬佛聖城是住不了的。萬佛聖城可以說是世界佛教的中心。佛教在亞洲是末法時代，可是在美洲是正法時代。所以處處要遵照佛制修行，做為世界佛教徒的榜樣。在城裡弟子恢復佛在世的規律，時時搭衣，日中一食，夜不倒單，持銀錢戒。凡是佛所立的戒律，萬佛聖城的比丘和比丘尼一律遵守不犯，嚴守戒律，注重威儀，現出家人相。這樣，才能令佛教復興，發揚光大。

禪七是考驗功夫

打禪七！打禪七！萬佛聖城的禪七是不休息的，拼命用功，努力參禪。這是用來考驗參禪人的功夫，究竟到了何等程度。大家要拿出真功夫來參禪，才能證得真實的境界。

在禪堂參禪的人，不要躲懶偷安，貪圖便宜。要曉得那是欺騙自己的行為。所謂「公修公得，婆修婆得，不修不得。」這是至理名言。有人認為是佔了便宜，實際是吃了大虧。為什麼？好像到了寶山，空手而歸，一無所得，多麼可惜！

用功的人，處處要吃苦，時時要耐勞，絕對不找小便宜。修行尚且貪便宜，何況做其他的事。可想而知，這一類的人，可以說是德中之賊，修行之敗類，叫人痛心。這種人，不會有發展，更不會有成就。

凡是參加這個禪七的人，在無量劫以來，都是躲懶偷安，所以沒有成就。到今天還是這樣，習氣不改，毛病不除。等到什麼時候，才能了生脫死？恐怕遙遠無期吧！

各位！要痛下針砭，不要隨著性情去躲懶偷安。在這樣好的道場中，再不努力修行，那是不堪造就，我也無能為力了。希望各位好好修行了生脫死的法門——參禪。

參禪好像龍養珠、貓捕鼠、雞孵蛋那樣專一其心，絕無二念，要那樣來用功。用功的人，時時刻刻拿起金剛王寶劍（智慧劍），觀照功夫，看參禪這一念，是不是在用功？還是在打妄想？如果在打妄想，即時把這個念收回來。這叫「念起即覺，覺之即無。」

我們每個人，都有妄想，不過，有輕重之分。若是沒有妄想，那麼，真正的智慧，必定現前。就因為我們從無量劫以來，生生世世所造的業不同，所以妄想也不同。業重妄想多，業輕妄想少，成為正比例。妄想從什麼地方來的？是從無量劫所造的業那裡來的，也是被業風所吹，就起了妄想。

妄想好像大海，本來是風平浪靜。一旦風起，則興起波浪。波浪是從風那裡來的，所以要把業風平靜。業風平，妄想便少了。怎樣平業風？就是不造惡業。所謂「諸惡莫作，眾善奉行。」一切妄想的波浪不起，智慧自然現前。智慧現前，能破除一切無明妄想。這時，一切習氣毛病都改了。我們修道修什麼？就是改習氣毛病。習氣毛病不改，永遠不會和道相應。習氣毛病一改，才能與道合一、與真合一、與覺合一。所以修道人，要時時刻刻注意改良習氣毛病。

從什麼地方來注意？先從衣食住行著手。關於所穿的衣服，不必太講究，清潔整齊就可以了。如果講究漂亮美觀，那就是習氣沒有除。關於所吃的東西，不必專講有營養，能吃飽就可以了。如果貪美食、貪味道，那就是習氣沒有除。關於所住的房子，不要住豪華的大廈，能遮風擋雨就可以了。如果貪圖住的舒服，睡的舒服，那就是習氣沒有除。關於行的問題，古時人是安步當車，現在人是汽車代步。這是因為交通方便，但不要坐名貴的車。假如仍有這種思想，那就是習氣沒有除。

衣食住行的習氣，都能改變，這才是無心道人。在禪堂參禪的人，都是無心道人，無心道人若是用心，那就錯了，我們要學的是無心道人。

要供養無心道人

在四十二章經上說：「供養一百個惡人，不如供養一個善人。供養一千個善人，不如供養一個受五戒的人。供養一萬個受五戒的人，不如供養一位出家人。供養十萬個出家人，不如供養一位證初果聖人。供養百萬初果聖人，不如供養一位證二果聖人。供養千萬個二果聖人，不如供養一位證三果聖人。供養萬萬個三果聖人，不如供養一位證四果羅漢。供養四果羅漢的功德，不如供養一位無修無證的智者（無心道人）。」由此可知，供養無心道人的功德，是無可限量。我們在禪堂參禪，一定要用功，完成使命，達到悟的境界，才不負眾望。否則，把大好時光空過，不但對不起自己所發的心願，也辜負師長之期望。這一點，希望各位深深反省一下，檢討這次禪七所得到的是些什麼？

弘法如火中栽蓮

在這個國家（美國）弘揚佛法，是很不容易的。好像火中栽蓮一樣，又好像登天那樣難。雖然是這樣的困難，可是我用最大的忍耐心，來到這個國家開拓佛教的新大陸，令佛法在這國家紮下根去，蓬勃生長。

曾經記得我在三十歲以前，誰也不認識我，誰也不知道我。所到之處，也沒有人注意我。雖然在年輕時，我曾於母親墓前守孝三年，但那是在家時的事，有很多人曉得這件事。可是出家之後，沒有人知道我是誰。我到處都是韜光養晦，因為我沒有什麼光，所以無人注意我。不像現在年紀輕輕的人，愛出風頭，搞名搞利，我和這些人完全相反。

三十歲以後，來到香港，自己建築一所小房子，在那兒用功修行。過著「苟全性命於亂世，不求聞達於諸侯」的隱居生活。在香港隱居了十多年，來到美國，最初六年，無人知曉，靜心修道。

一九六八年以後，漸漸有人知道我在三藩市弘揚佛法，傳習禪理。這時，有人來聽法，有人來修道，開始有美國人出家，受具足戒，成為美國人真正出家為僧尼的先河。

令人驚奇的怪事

這次到亞洲弘法，有那樣多人，來聽佛法，並不是我講的好，而是我講的真。我是不講假話的，處處往真的地方去做。直言直行，不用任何手段來待人接物。我要說的話，不管在什麼地方我都要說，我也不怕得罪人。我不要說的話，在什麼地方我也不說，絕對不打妄語，不欺騙他人。

大概是因為我是從美國去的，所以才有這樣熱烈的反應。有很多人，特意來聽我講法。雖然來聽，可是多數是抱著瞻望的態度來聽。我所講的經，用通俗的道理來講，令一般人都能接受，絕對不講令人聽不懂的哲理，這是我講經說法一貫的宗旨。

這次到亞洲，得到很多經驗。以前我對喇嘛的印象很好，以為他們也是修道人。對於其他僧侶的印象更好，以為他們嚴守戒律，保持原始佛教的作風，沒有變質。想不到他們沒有慈悲心，所行所作，違背佛制。不但有些冒充喇嘛會向人下蠱，利用卑鄙手段來害人，就是某些似是而非的佛教徒也採用這種手段來迷惑人，令人失去本性，受其控制。我覺得很驚奇！這種傷天害理的事，竟然發生在救人濟世的佛教中，實在令人不敢相信，可是事實擺在眼前，不能不信。

人人想學密法，本來欲得利益，想不到反受其害。所以學佛法，要學正知正見的大乘法，不可學邪知邪見的法。稍有不慎，便容易落在邪見坑裡，被邪人所迷惑，這是末法現象的特徵。身為佛教徒的我，看到這種不良的現象，非常痛心。所以我們今後對冒牌喇嘛和假佛教徒，本著「敬鬼神而遠之」的態度，不要以為他們有什麼法術？有什麼道業？這一點，要特別小心，免受其害。

我們在因地的時候，不種惡因，將來就不會結惡果。要種清淨的因，時時一心向道，不生半點染污心。時時循規蹈矩，不調皮，不搗亂，將來一定會結清淨的果。

若現在於因地時，不守規矩，將來到果地時，一定痛苦無邊，受盡苦的果報。各位！我對你們說的話，都是真實語，絕非戲論。不要當做耳邊風，吹過去就算了。

修道不可錯因果

這麼多年來，有些人修道已經有十幾年的歷史，可是還糊塗不清醒，不懂因果，也不怕因果，這是很危險的一件事。所以修道要特別謹慎，不要錯因果。錯了因果，鑄成大錯，後悔莫及，所謂「一失足便成千古恨，再回頭已是百年身。」因果是絲毫不爽，錯了因果，「失之毫釐，謬之千里。」故對因果不可以不謹慎，不可以不小心。

各位注意！不要一面修行，一面打妄想，放不下世俗的享受，要認清楚自己是做什麼的？如果天天都打些邋遢的妄想，必會錯因果，將來一定墮地獄。並不是嚇唬你們，而是實實在在的情形。

物以類聚

所謂「善一夥，惡一群，什麼人找什麼人」，的的確確是這樣的情形。世上的人，各從其類。讀書的人和讀書人做朋友，種田的人和種田人做朋友，乃至做生意人、做官、做工人，互相為好友，彼此往來，聚集一起，感情融洽，互惠互助。就是畜生，亦復如是。馬和馬在一起，牛和牛在一起，羊和羊在一起，豬和豬在一起，和睦相處。

我們人為萬物之靈，智慧比較高，畜生的智慧比較低。為什麼會有這種現象？因為畜生經過閻羅王的化學工廠（輪迴）的淘汰，其靈性被分開了，所以只有小部分的、不完整的靈性存在，因此之故，畜生的智慧比較低。

有人發問：「怎樣把靈性分開呢？」譬如，有一個人，因為業障深重，轉為畜生。雖然為畜生，但是不一定為一個畜生，甚至為十個或二十個（轉高等畜生為一身，轉低等畜生為多身）。這樣便把智慧分開為許多份，所以智慧越分越低。

畜生都有貪心，無明很重，剛強好鬥。好像雞狗，雖然物以類聚，但是牠有鬥爭的思想。兩隻雞相遇，必定戰鬥；兩隻狗相遇，必定打架。為什麼？因為食物，而起慳貪，捨不得。這是前生為人時，自私自利的習氣未除，故做畜生時，這種自私自利的心，仍然存在。

我們學佛法，就是要消除自私自利的思想，一切不要為自己打算，要以大眾的利益為前提；再能無所求，所謂「人到無求品自高」，這時候，什麼也不求，順其自然，行所無事，達到不爭、不貪、不求、不自私、不自利、不妄語（萬佛聖城六大宗旨）的境界。世界人類都有這種思想，一定和平相處，絕無戰爭。這時候，人人注重道德，不會做虧德的事。不注重道德的人，也會做有德行的事。所謂「德者本也，財者末也。」我們在這世界上，人人一定要安分守己，奉公守法，努力修道，完成使命。

世界為何有戰爭

因為人人有貪心，貪而無厭。貪得則喜，貪不得則瞋。因瞋而愚癡，因愚癡而戰爭，這是發生戰爭的根本原因。非得斬草除根，天下才能太平。如何除根？就是不爭、不貪、不求、不自私、不自利、不妄語。

我們和任何人、任何事、任何物，不爭、不貪、不求，在這種生活中，才是真正的快樂，真正的明白。不明白的人，在這世間同流合污，人在求名求利，我也求名求利。人人有這種你爭我奪的思想，這世界焉能沒有戰爭？

要真正瞭解這個世界，不是個平安的世界，隨時隨地都可能發生核子戰爭，人類的生命和財產一掃而光。為什麼會有這種現象出現？為什麼教我們對境界要看破，要放下呢？因為沒有妄想，沒有執著，就會得到自在。

要想不發生核子戰爭，非得人人改惡向善，去邪心存真心。不貪、不瞋、不癡。對一切人，要有布施、愛語、利行、同事四攝法，和慈、悲、喜、捨四無量心。人人能如此，世界的危機，才可以解除。否則的話，終有一天會爆發；而山河大地、房廊屋舍，終將同歸於盡。所謂劫數難逃，眾生業力所感，真正到了壞劫的時期。目前的時局，真令人不寒而慄，有談虎色變之感。

萬佛聖城中選聖賢

我們現在參禪，是為開智慧，不是為爭第一。有人想：「哦！我的功夫了不得！我在西方人中是最用功的修行者。」有這種思想的人，必是貢高我慢大愚癡的人。在佛教中不允許有這種思想行為存在，佛教是讓而不爭，要曉得參禪是為開悟而參，不是為我慢而參。

在禪堂裡要往真善美來參。真的，不見人之過。真正修道人，「舉動行為管自己，行住坐臥不離家」。不要做鏡子，專照人家不照己。為什麼？因為它只能向外照，不能迴光返照。

我們參禪人，要迴光返照照自己。所以我在前天新年時，說一偈頌：「今逢一九八二年，十方聚會來參禪，迴光返照觀自在，萬佛城中選聖賢。」參禪要迴光返照，不向外馳求，看看自己在不在？在，就是沒有打妄想；不在，就是在打妄想。如果不打妄想，那就自在，這是很簡單的道理。

誰能迴光返照，誰就能自在，誰就能入聖賢之選，入聖賢之流。可是要拿出真功夫來，不是口頭上說。畫餅不能充飢，說食不能充飽。還是要腳踏實地去修行，拚命去參！參！參！參到山窮水盡疑無路的時候，自然會有柳暗花明又一村的新境界。

佛說：「一切眾生，皆有佛性，皆堪作佛。但以妄想執著，不能證得。」我們都有成佛的希望，可是背覺合塵，回不了家，也就是回不去常寂光淨土，所以在這娑婆世界流浪生死，不得出離。

修行如同做生意

我們在今生做點善事，來生就富貴；今生做點惡事，來生就貧賤。好像做生意一樣，會做生意的人就賺錢；不會做生意的人，就賠本。多做善功德，就賺錢；多造罪孽過，就賠本。這是因果律，萬古不變的定律。

我們從無始劫以來，有時賺錢，有時賠本。賺一點錢時，就心滿意足，不肯努力再經營，慢慢便賠本了。在賠本時，又兢兢業業來做生意，久而久之又賺錢了，如是周而復始，在這種情形之下流轉不已！所以不能了生脫死，跳出輪迴之外。

這是說在好的時候，不肯修行，所謂「富貴學道難」。在艱難困苦的時候，才知修行，所謂「前生不修今生苦，今生不修來生苦。」這種道理和做生意一樣。一般人，只知做小本錢的生意，不知做大資本的生意。為什麼？第一資本（善根）不夠，第二經驗（智慧）不足，所以沒有大發展。什麼是大生意？就是出離三界的生死大事。

各位，想一想，這種生死問題怎麼辦？怎樣能斷生死的長流，停止輪迴的波浪？唯一辦法，趕快來到萬佛聖城參禪。以這個法門，就能斷絕生死長流的波浪。

參禪的人，想得開，放得下，才有進步。如果看不破，放不下，那就有苦惱。有了苦惱，就到輪迴中受生死。若是把生死的苦都忘了，與道相違背，則辜負參加參禪的初衷。

一增一減為一劫

世界有成住壞空四個步驟，人有生老病死四個過程，事有生住異滅四個階段。劫代表時間的單位，一增一減為一劫。增劫的計算，從人壽十歲開始，每一百年，增加一歲，身高增加一寸，增到人壽八萬四千歲為止。減劫的計算，從人壽八萬四千歲開始，每一百年，減去一歲，身高減去一寸，減到人壽十歲為止，這叫一劫。一千個劫為小劫，二十個小劫為中劫，四個中劫為一大劫。

世界成的時候，有二十個小劫。住的時候，有二十個小劫。壞的時候，有二十個小劫，空的時候，有二十個小劫。成住壞空四個中劫，共有八十個小劫，是為一大劫。大劫的時間是很長，不是我們凡夫的智慧所能想像得到的。

人的壽命，到二十歲時，代表成劫。到四十歲時，代表住劫。到六十歲時，代表壞劫。到八十歲時，代表空劫。二十歲以前是生長知識的時期。四十歲以前是發展事業的時期。六十歲以前是病老的時期。八十歲以前是死亡的時期。

物的生住異滅的道理，亦復如是。由因緣而生，由因緣而滅，中間經過住期和異期。物成之後，經過一段住的時期，慢慢變異而起化學作用，又慢慢消滅了，這是必然的現象，所謂「無常」，是自然的定律。

在這種情形之下，真正能明白的人不太多，真正能修行的人也不多，大多數是在這裡糊裏糊塗混光陰。由生那一天起到死那一天為止，自己也搞不清楚自己在做什麼？一生就胡混過去，人類都是這樣，迷迷糊糊把光陰混過去了。

但我們要尋找光明的道路，才知道我從什麼地方來的？我到什麼地方去？把來的路和去的路，弄明白了，才算不是糊塗人；否則就是糊塗人。所謂「來時糊塗去時迷，空在人間走一回。莫如不來亦不去，亦無糊塗亦無悲。」

我們被業所牽，所謂「業不由己」，而生到這世上來還報。因為在往昔所造的業不同，所以今生就受不同的報，所謂「業網交織」。因為種種因緣和種種境界，而造成人的糊塗生命。但人還不知道，總覺得活在世上蠻有意思，也不去想辦法了生脫死，這是很可悲的一件事！

人死只有業隨身

從前有位最富有的人，他一生最喜愛珠寶和金銀。可以說珠寶滿倉庫，金銀堆成山，成為世界第一大富翁。因為他最歡喜金銀珠寶，所以他的大兒子，名叫鑽石，二兒子名叫金子，三兒子名叫銀子，小兒子則名叫業障，不知為什麼緣故。

他一生愛錢如命，吝嗇成性，不肯布施，救濟窮人。自己享受，天天美食，大魚大肉塡肚子。吃來吃去，腦滿腸肥，成為大肚子，便患了高血壓症，不久便中風（腦溢血），導致半身不遂，四肢不動，臥床不起。但他捨不得花錢請護士照顧，所以想叫自己四個兒子輪班侍候。這樣既省錢又得天倫之樂，不料大兒子、二兒子以及三兒子皆反對，只有小兒子細心照料。不久，小兒子也罷工，不管他了。

這位最富有的人，一氣之下，病勢加重，到奄奄一息之際。他又想，我自己到陰間去，無人作伴，太寂寞了。於是想叫大兒子陪他去，乃喚大兒子到病牀前，說：「鑽石！我快要死了，感覺一個人太寂寞，你能不能陪爸爸一起去死？」大兒子一聽，便皺眉頭的說：「爸爸您老糊塗了，我怎能陪您去死？」說完揚長而去。他又喚二兒子到病牀前，便說：「金子！爸爸對你很好，很疼愛你，我現在快要死了，你可不可以陪伴我死呢？」二兒子一聽，把眼睛一瞪的說：「豈有此理！要死就快點死，不要發神經！」乃怒氣沖沖的走了。他又喚三兒子到病牀前，便說：「銀子！我對你不錯，你所要求的事，爸爸皆滿你的願。今天爸爸要死了，希望你陪爸爸一起去死。」三兒子一聽，大發雷霆的吼叫：「你這個老東西！我應該把你打死，免得作怪。」說完之後，轉身就走，還狠狠的說：「你真應該死！」

這時，無有餘策，這個富有的人，便很悲哀的痛哭流涕向小兒子說：「業障！我雖然不愛你，可是你是我的小兒子，你願不願意跟著我去死？」小兒子不加考慮，很慷慨的說：「我願意陪爸爸一起去死，您到什麼地方去？我跟您到什麼地方去，免得爸爸一人太寂寞。」富人一聽，心裡很舒服，兩眼一閉，兩腿一伸，到閻王殿去報到，結束一生。

這個公案，警惕世人，不要貪戀紅塵，無常轉瞬即至，所謂「漸漸雞皮鶴髮，看看行步龍鍾，假饒金玉滿堂，難免衰弱病老。任你千般快樂，無常終是到來，唯有徑路修行，但念阿彌陀佛。」

人生在世，莫待老來方學道，試看那些孤墳，盡是少年人。不要留戀世間的五欲（財色名食睡）之樂。所謂「萬般帶不去，只有業隨身。」好像這個富有人，臨死時，金銀珠寶帶不去，只有業障陪他去，這是最好的證明。

我們要趕快覺悟，發菩提心，修無上道，才能了生脫死，沒有白來這世界一趟，不要再糊塗一輩子。切記這兩句話：「見事省事出世間，見事迷事墮沉淪。」把它做為座右銘。

有首偈頌，說的道理很正確，今天不妨說出來作為參考。是這樣說的：「魚在水裡躍，人在市上鬧，不知為善德，虧心把孽造。金銀堆成山，閉眼全都撂，空手見閻王，愧心把淚掉。」仔細的研究，有一番哲理在其中。

業重情迷墮地獄

六道輪迴，就是天道、人道、修羅道、畜生道、餓鬼道、地獄道，按照業的輕重和情的深淺來判斷。所謂「業重情迷」，這種人，死後墮地獄。所謂「業深情凝」，這種人，死後做餓鬼。所謂「業重情濃」，這種人死後轉畜生。業越輕，情越淺，便往生於三善道。到「業盡情空」的時候，便是聖人。

業重，就是時時刻刻存著邪知邪見，不怕因果，見利忘義，做些傷天害理的事。情迷，就是遇到感情，沒有智慧，便著迷了。所謂「理智控制不住感情」，任其發展，便鑄成大錯。這類眾生，將墮落在地獄裡。

這種業太重的人，就是佛菩薩來耳提面命，來教化勸說，他也不會聽的。真理他不聽，只信邪理，這一類的眾生，雖然做人，可是無藥可救。

業深情凝的眾生，他的業障雖然很深，但是沒有那樣的重。遇到感情便糊塗了，分別不出是道不是道？是法不是法？境界一來，便隨著境界轉了，轉到什麼地方去呢？轉到餓鬼道去，到那時候，悔已晚矣。

業重情濃，業障雖重，猶比入餓鬼道者較輕點；情感雖濃，還比入餓鬼道者較淺一點；這種人，將來轉為畜生，受各種不同的痛苦，其苦不堪設想。

業是一種最公平的懲罰，墮落不墮落，乃由感情來分別。只知有情，不知有智這種人，將來一定墮落在三惡道中，這是毫無疑問的。你存什麼心，就到什麼道中去。修道人的一舉一動，一言一行，明眼善知識一看便知，將來他會墮落在那一道中受生。

凡是看不破，放不下，就是業障。障礙你不能上昇，乃至障礙你出不了三界。凡是對著境界而生出一種執著，就是情感。見到境界，便生執著，這皆是情感的作用。諸位要深自警惕，不要被情感所牽而不能出離，當知「一失足便成千古恨，再回頭已是百年身。」盼共勉之！

眾生教、人教、心教

剛才許教授講：「世界的宗教，有獨神教、多神教、全神教。」但是沒有講無神教，也沒有講有神教。何謂神？聰明正直謂之神。何謂佛？佛是位覺悟者。誰能大公無私，誰就是神。誰能有大智慧，誰就是佛。神不是獨神，佛不是獨佛，神佛是最民主的，誰都有資格做神佛。好像民主的國家，人人皆可當選為總統，可是要有才能，才會被選為總統，替老百姓服務。

有人說：「天主才是真神。」這種說法，不合邏輯，單單一個天主，他能做些什麼事情？所以我們要把神教變成民主作風，人人可以成神；把佛教變成民主思想，人人可以成佛。絕對不要那樣的獨裁，也不要那樣的專制。

宗教不應該用強迫手段來威脅或利誘人信教，應該用感化力勸導人信教。要出於自然，心甘情願來信教，那才是真信。若勉強來信，或用感情來信，那是假信，可能另有企圖。

世界各國的憲法，都規定有信仰自由這一條。人民信仰宗教自由，政府絕對不干涉。宗教自由，不是把人綁上，強迫信教，也不是把人囚在監獄，命令信教。

「你只可以信我的宗教，不可以信其他的宗教。」這就等於把人綁上一樣，沒有信仰自由。

各人有各人的信仰因緣，中間有許多因素，多數是環境所造成，或者因為某一種因素所造成的。信仰應該比較自然，不可用強迫手段逼著人信仰某宗教。如有這種行為，那和所傳的教義便相違背，不但不能給信徒快樂，反而增加愁腸，統統失掉傳教的意義。

我所講的佛教，不是像印度所講的佛教，也不像中國所講的佛教，更不像日本、泰國、緬甸等國家所講的佛教。為什麼?因為我所講的佛教是盡虛空徧法界的佛教。華嚴經的境界，就是盡虛空徧法界，圓融無礙的境界。

佛陀曾經說過：「一切眾生，皆有佛性，皆堪作佛。」人人皆有作佛的資格，不管信佛不信佛，將來都可成佛。由此可證，佛教不是獨裁的宗教，而是民主的宗教。

佛教絕對沒有這種思想：「只有我一個人才可以成佛，你們凡夫俗子，只有給我做奴隸的資格。」佛說：「沒有一個人不可以成佛，不但人可以成佛，就是所有的眾生，皆可成佛。」這種思想，多麼的民主；其他宗教，望塵莫及。

有人說：「我不願成佛，所以我不信佛。」你不信佛，不願成佛，那是暫時的問題，將來你自己也做不了主。為什麼？舉出一個例子來說明：譬如今天想吃這種東西，到了明天，你的胃口又改變了，又想吃另外一種味道的東西。同是一個人，為什麼今天想吃這個，明天想吃那個？這是最簡單的比喻。

對於衣食住行四大項，尚有很多的改變。何況信仰宗教，更有改變的可能。有人說：「我皈依三寶，我永遠信佛。」要知道，出家人也會還俗的，現在這種人大有人在，這不是改變嗎？信佛之後，又不信佛，去信天主教或基督教。信佛教尚能改換，那麼，若信其他的教，誰能保證他不會改信佛教？這一生是這樣，來生更沒有把握。你能保證今生不信天主教，不信基督教，來生能保證或不能保證呢？我相信你絕對做不得主，你若能做得主的話，那你就不會死了。

就因為你做不得主的緣故，所以不管怎樣有學問，怎樣有財富，到時候都會死的。一切改變了，一切環境又不同了。你今生不信佛，到來生會信佛。來生不信佛，再來生會信佛。總而言之，你終會信佛的。有人說：「我不相信有來生！」你不相信有來生，那就無話可說。

你覺得人死了，什麼也沒有，沒有輪迴、因果和報應。愛做什麼就做什麼，甚至殺人放火，只要對自己有好處，都可以做。為什麼？因為沒有來生，不受果報。那麼，就能隨心所欲，胡作非為。但那是不行的，所謂「善有善報，惡有惡報。」善惡到頭總有報，不是不報只因時候未到。既然知道有報，就要行善止惡。果報各有不同，或在今生報，或在來生報，乃至多生報。總之，種瓜得瓜，種豆得豆，種麥得麥，種稻得稻，種什麼因，便得什麼果，因果是絲毫不爽的。

我所講的佛教，包括一切，所謂「盡虛空，徧法界」。誰能跑出法界外，誰就不用信佛；誰能跑出虛空外，我就不把他算作佛教徒，如果不能跑出虛空法界之外，那就是佛教徒，這是我講佛教的宗旨。

當然，有些人聽了之後，覺得這種理論不順耳。但是久而久之，就認為是對的。為什麼？因為我不和任何宗教分家，分門別戶。我把所有的宗教，合併為一家，所以我把佛教叫做眾生教。因為誰也跑不出虛空法界外，誰都是眾生，故佛教乃是眾生所學之教。

我又把佛教改為人教，因為所有的人，都有做佛的資格。只要專一來修行，最後會成佛。我又把佛教改名為心教，因為人人有心，修行是去妄心存真心。有妄心是凡夫，有真心是佛。所謂「十法界不離一念心」，這一念心就是真心。

宗教本來是沒有的，因為宗教只為對治人的病。人的病，就是貪瞋癡，宗教就是戒定慧。所謂「勤修戒定慧，息滅貪瞋癡。」貪瞋癡是絕症，戒定慧是特效藥，有藥到病除的奇效。

宗教越多，人的自私心就越大。這個宗教說：「我的宗教最好。」那個宗教說：「我的宗教最真。」又有宗教說：「我的宗教最偉大。」又有宗教說：「我的宗教最無上。」沒有一個宗教說：「我的宗教是最壞的。」大家都用一個最好的名詞來自我宣傳。外表是好的名詞，內容好不好？不得而知，恐怕有問題吧？

我們要學真正的宗教，不要互相誹謗，也不要彼此攻擊，要和平相處，勸人向善，改邪歸正，這才是宗教的使命。不要為拉信徒，而不擇手段！那是卑鄙的行為。

我所信的佛教，不是一定好的，可是我願意信它。因為佛教是開智慧的教。為什麼說它不好？你看！所有的人，並不是都是好人。我把不好的人包括在佛教裡，所以佛教也有不好的。佛教像是虛空，能包括所有無量世界，那個世界沒有廁所？如果沒有廁所，怎能成世界？所謂「清者濁之源，動者靜之極。」好是從壞處形容出來的；壞是從好處比較出來的。好到極處便該壞了，壞到極處便該好了，所謂「物極必反」、「否極泰來」，這是必然的變化。

我們要明白真實的道理，那是什麼呢？一言以蔽之，就是我們本有的智慧。有智慧的人，不會說糊塗的話，糊塗人不會說有智慧的話。有道德的人，不說虧德的話；無道德的人，不說有德的話。為什麼？關鍵在智和愚的分別。所以我們研究宗教，要實事求是，不可意氣用事，甚至引起宗教戰爭。

許教授又說：「有種宗教，引發戰爭。」那不是宗教之錯，而是宗教徒之過。他們不明宗教的宗旨，反而感情用事，引起諍論，發生戰爭。所謂「上德不德，下德執德，執著之德，不明道德。」這句話說的很有道理。

迴向偈

願以此功德　莊嚴佛淨土
上報四重恩　下濟三途苦
若有見聞者　悉發菩提心
盡此一報身　同生極樂國

南無護法韋馱菩薩

華嚴精舍
Avatamsaka Hermitage
11721 Beall Mountain Road, Potomac, MD 20854-1128 U.S.A.
Tel: (301) 299-3693

金聖寺
Gold Sage Monastery
11455 Clayton Road, San Jose, CA 95127 U.S.A.
Tel: (408) 923-7243 Fax: (408) 923-1064

金峰聖寺
Gold Summit Monastery
233-1st Ave. West, Seattle, WA 98119 U.S.A.
Tel: (206) 217-9320

金佛聖寺
Gold Buddha Monastery
301 East Hastings Street, Vancouver, BC, V6A 1P3 Canada.
Tel: (604) 684-3754

華嚴聖寺
Avatamsaka Monastery
1009-4th Ave. S.W. Calgary, AB T2P OK8 Canada.
Tel: (403)234-0644

法界佛教印經會
Dharma Realm Buddhist Books Distribution Society
臺北市忠孝東路六段85號11樓
11th Floor, 85 Chung-hsiao E. Road, Sec. 6, Taipei, R.O.C.
Tel: (02) 786-3022 Fax: (02) 786-2674

紫雲洞觀音寺
Tze Yun Tung Temple
Batu 5 1/2, Jalan Sungai Besi, Salak Selatan,
57100 Kuala Lumpur, Malaysia.
Tel: (03) 782-6560 Fax:(03) 780-1272

佛教講堂
Buddhist Lecture Hall
31 Wong Nei Chong Road, Top Floor, Happy Valley, HONG KONG.
香港跑馬地黃泥涌道31號12樓
Tel: 2572-7644

法界佛教總會・萬佛聖城
Dharma Realm Buddhist Association
The City of Ten Thousand Buddhas

2001 Talmage Road, Talmage, CA 95481-0217 U.S.A.
Tel: (707) 462-0939 Fax: (707) 462-0949

法界聖城
The City of the Dharma Realm
1029 West Capitol Ave., West Sacramento, CA 95691 U.S.A.
Tel: (916) 374-8268

國際譯經學院
The International Translation Institute
1777 Murchison Drive, Burlingame, CA 94010-4504 U.S.A.
Tel: (415) 692-5912 Fax: (415) 692-5056

法界宗教研究院
Institute for World Religions (at Berkeley Buddhist Monastery)
2304 McKinley Avenue, Berkeley, CA 94703 U.S.A.
Tel: (510) 848-3440

金山聖寺
Gold Mountain Monastery
800 Sacramento Street, San Francisco, CA 94108 U.S.A.
Tel: (415) 421-6117 Fax: (415) 788-6001

金輪聖寺
Gold Wheel Monastery
235 N. Avenue 58, Los Angeles, CA 90042 U.S.A.
Tel: (213) 258-6668

長堤聖寺
Long Beach Monastery
3361 East Ocean Boulevard, Long Beach, CA 90803 U.S.A.
Tel: (310) 438-8902 e-mail: drbalbsm@aol.com

福祿壽聖寺
Blessing, Prosperity, & Longevity Monastery
4140 Long Beach Boulevard, Long Beach, CA 90807 U.S.A.
Tel: (310) 595-4966

郵購須知

郵費及手續費：
每六片錄音帶照一本書計費。郵購不足六本書，照下列計費法：
郵購超過六本，請將郵購單寄至上列地址估計費用。

美國境內：若購買一本書$2.00美元。二本書以上每冊$0.75美元。
以四級郵遞，需時兩星期至一個月。

美國境外：若購買一本書$2.50美元，二本書以上每冊$1.25美元。
陸運。郵遞容易遺失之地，請掛號郵寄：
每包十本書另加郵資$3.75美元。
郵件若有遺失，本會不負任何責任。郵遞時間需時二至三個月。

■California residents add 8.25% tax. 加州居民另加上8.25%之稅金。

■Make checks payable to: D.R.B.A. 支票抬頭請寫D.R.B.A.

郵購請先付款，包括郵費及手續費。郵購單請寄：

佛經翻譯委員會 **Buddhist Text Translation Society**
萬佛聖城 **Sagely City of Ten Thousand Buddhas**
2001 Talmage Road, P.O. Box 217,
Talmage, CA 95481-0217 U.S.A.
電話 Phone: (707) 462-0939
傳真 Fax : (707) 462-0949

或 or to:

佛經翻譯委員會 **Buddhist Text Translation Society**
國際譯經學院 **International Translation Institute**
1777 Murchison Drive, Burlingame, CA 94010-4504 U.S.A.
電話 Phone: (415) 692-5912
傳真Fax: (415) 692-5056

錄音帶及書籍於法界佛教總會所屬道場，及有些書局，均可請得。

2BMB001 **Vajra Bodhi Sea**

Vajra Bodhi Sea is a monthly journal of orthodox Buddhism which has been published by the Dharma Realm Buddhist Association, formerly known as the Sino-American Buddhist Association, since 1970. Each issue contains the most recent translations of the Buddhist canon by the Buddhist Text ranslation Society. Also included in each issue are a biography of a great Patriarch of Buddhism from the ancient past, sketches of the lives of contemporary monastics and lay-followers around the world, articles on practice, and other material. The journal is bilingual, Chinese and English, 48 pages in an 8 1/2" by 11" format. ISSN 0507-6986. Single issues, $4.00. One year subscription, $40.00; three years, $100.00. (Postage is included in the subscription fee.) Send orders to:

Vajra Bodhi Sea subscriptions
800 Sacramento Street
San Francisco, CA 94108
(415) 421-6117

月刊	版本	價格 US
萬佛聖城月刊金剛菩提海雜誌 單行本	中英版	**$4.00**
萬佛聖城月刊金剛菩提海雜誌 訂閱一年	中英版	**$40.00**
萬佛聖城月刊金剛菩提海雜誌 訂閱二年	中英版	**$75.00**
萬佛聖城月刊金剛菩提海雜誌 訂閱三年	中英版	**$100.00**

編號 Code No.	錄影帶 VIDEO TAPES	卷數 # of Tape	價格 Prlce US
1VBC001	上人追思專輯暨荼毗大典 （中文） A Memorial Video of the Life of Ven. Master Hua's and the Cremation Ceremony (Chinese)	1	$15.00
1VBC002	南傳北傳大團結 （中文） Uniting Mahayana and Theravada Buddhism (Chinese)	1	$15.00
1VBC003	修行在聖城 （中文） Cultivation at the Sagely City (Chinese)	1	$15.00
1VBC004	傳戒在聖城 （中文） Ordination at the Sagely City (Chinese)	1	$15.00
1VBE001	A Memorial Video of the Life of Ven. Master Hua's and the Cremation Ceremony (English)	1	$15.00

編號 Code No.	佛教文物 Buddhist Gifts	套數 No.of Set	價格 Price US
ZL001~	宣公上人法語書籤（風景組） Bookmarks of Ven. Master Hua's Words (Scenery)	20張 20 piece	各$0.50 each $0.50
ZL021~	宣公上人法語書籤（國畫組） Bookmarks of Ven. Master Hua's Words (Chinese Painting)	21張 21 piece	各$0.50 each $0.50
ZP001~	萬佛聖城風景明信片 Scenery Post Cards of CTTB	38張 38 piece	各$0.50 each $0.50
ZC001	萬佛聖城風景卡片（盒裝） Picture Set of CTTB (Set)	7張 7 piece	$7.00

編號 Code No.	宣化上人法音錄音帶（中英） Audio Tapes: Lecture by Ven. Master Hua's (Bilingual Chinese/English only)	卷數 # of Tapes	價格 Pr!ce US
1TSB201	佛說四十二章經淺釋（盒裝） The Sutra in Forty-two Sections Spoken by the Buddha (set)	10	$32.00
1TKB001	宣化上人開示錄 一九九四年於美國之開示（單片） Ven. Master Hua's Talks on Dharma (1994) (single)	12	$5.00
1TKB002	宣化上人開示錄 一九九三年訪臺開示（盒裝） Ven. Master Hua's Talks on Dharma during the 1993 Trip to Taiwan (set)	6	$21.00
1TKB003	正法的代表（盒裝） A Sure Sign of the Proper Dharma (set)	2*	$15.00
1TKB004	百年大事渾如夢（盒裝） The Great Events of One Hundred Years Are Hazy As If a Dream (set)	1*	$10.00
1TKB005	皈依的眞義（盒裝） The True Meaning of Taking Refuge (set)	1*	$10.00

* 附書 (With pocket-size book)

Code No	Audio Tapes: Lecture by Ven. Master Hua (English only/Single)	Price US
1TKE001	Guanyin Bodhisattva Is Our Brother	$5.00
1TKE002	The Patriarch Bodhidharma's Advent in China	$5.00
1TKE003	On Investigating a Meditation Topic	$5.00
1TKE004	The State of Chan Meditation	$5.00
1TKE005	Both Good and Evil Exist in a single Thought	$5.00
1TKE006	Cultivate Merit and Virtue without Marks	$5.00

編號	宣化上人經典淺釋（中文錄音帶）	卷數	包裝	價格US
1TKC001	十法界不離一念心	3	盒裝	$12.00
1TKC002	佛七精華錄	5	盒裝	$18.00
1TKC003	念佛法門到彼岸	3	盒裝	$12.00
1TKC004	禪（開示）	3	盒裝	$12.00
1TKC006	觀音菩薩的智慧鑰匙	4	盒裝	$15.00
1TKC007	救世界教育的靈丹	3	盒裝	$12.00
1TKC008	正法的震撼 一九八八年臺灣弘法專集	12	盒裝	$30.00
1TKC009	宣化上人開示錄（一） 一九八八年馬來西亞弘法專集	4	盒裝	$12.00
1TKC010	宣化上人開示錄（二） 美加地區等弘法結集	6	盒裝	$18.00
1TKC011	宣化上人開示錄（四） 一九八九年臺灣弘法專集	7	盒裝	$21.00
1TKC012	宣化上人開示錄（五） 一九九〇年臺灣弘法專集	6	盒裝	$18.00
1TKC013	宣化上人開示錄（六） 一九九三年訪臺開示	5	盒裝	$18.00
1TKC014 ~~020	宣化上人開示錄 一九九四年於美國之開示	7	單片	$5.00
1TKT001	宣化上人開示錄（三）（台語）	4	盒裝	$12.00
1TMC001	藥性賦	5	盒裝	$18.00

編號	梵唄錄音帶	卷數	包裝	價格US
2TMB001	萬佛城合唱曲（中英）	1	單片	$5.00
2TSC001	楞嚴咒誦	1	單片	$5.00
2TSC002	大悲咒誦	1	單片	$5.00
2TSC003	大悲懺	1	單片	$7.00
2TSC008	觀世音菩薩聖號	1	單片	$5.00
2TSC012	楞嚴咒誦（學習版）	1	單片	$5.00

編號	宣化上人經典淺釋（中文錄音帶）	卷數	包裝	價格US
1TSC001	華嚴經 ◆ 普賢行願品淺釋	18*	盒裝	$40.00
1TSC002	華嚴經 ◆ 淨行品淺釋	12	盒裝	$40.00
1TSC071	大方廣佛華嚴經疏序淺釋	8*	盒裝	$25.00
1TSC101	大佛頂首楞嚴經淺釋	120*	盒裝	$320.00
1TSC102	楞嚴經 ◆ 四種清淨明誨淺釋	4*	盒裝	$15.00
1TSC103	楞嚴經 ◆ 大勢至菩薩念佛圓通章淺釋	4	盒裝	$15.00
1TSC151	法華經 ◆ 安樂行品淺釋	9	盒裝	$30.00
1TSC152	法華經 ◆ 觀世音菩薩普門品淺釋	15	盒裝	$30.00
1TSC201	佛說四十二章經淺釋	6*	盒裝	$23.00
1TSC202	金剛般若波羅蜜經淺釋	14*	盒裝	$35.00
1TSC203	般若波羅蜜多心經非台頌解	8*	盒裝	$25.00
1TSC204	佛說阿彌陀經淺釋	14	盒裝	$45.00
1TSC205	六祖法寶壇經淺釋	24*	盒裝	$60.00
1TSC206	永嘉大師證道歌淺釋	11	盒裝	$36.00
1TSC207	勸發菩提心文淺釋	5	盒裝	$18.00
1TSC901	大乘百法明門論淺釋	5*	盒裝	$20.00
1TVC201	佛遺教經淺釋	9*	盒裝	$30.00

* 附書

編號	事蹟傳記（中文錄音帶）	卷數	包裝	價格 US
1TBC001	佛陀十大弟子傳	3	盒裝	$12.00
1TBC002	高僧傳	22	盒裝	$70.00

Code No.	Ven. Master Hua's Talks on Dharma (English Buddhist Books)	Price US
1BKE041	Buddha Root Farm	$4.00
1BKE371	Herein Lies the Treasure Trove, Vol.1	$6.50
1BKE372	Herein Lies the Treasure Trove, Vol.2	$6.50
1BKE471	Listen to yourself, Think Everything Over, Vol. 1	$7.00
1BKE472	Listen to yourself, Think Everything Over, Vol. 2	$7.00
1BKE571	Open Your Eyes, Take a Look at the World	$9.00
1BKE811	The Ten Dharma Realms Are Not Beyond a Single Thought	$4.00
1BKE911	Water Mirror Reflecting Heaven	$4.00

Code No.	Other English Buddhist Books	Price US
2BKE541	News from Ttrue Cultivators, Vol. 1	$6.00
2BKE542	News from Ttrue Cultivators, Vol. 2	$6.00
2BKE811	Three Steps, One Bow	$5.00
2BKE911 ~~919	With One Heart Bowing to the City of 10,000 Buddhas (1 set,9 books)	$63.00
2BKE920	World Peace Gathering	$5.00
2BYE081	Cherishing Life, Vol. 1	$7.00
2BYE082	Cherishing Life, Vol. 2	$7.00
2BYE231	Filiality:The Human Source, Vol. 1	$7.00
2BYE232	Filiality:The Human Source, Vol. 2	$7.00
2BYE371	Human Roots-Buddhist Stories for Young Readers, Vol. 1	$5.00
2BYE372	Human Roots-Buddhist Stories for Young Readers, Vol. 2	$5.00
2BME691	Songs for Awakening	$8.00

Code No.	Commentary on Buddhist Sutras by Ven. Master Hua's (English Buddhist Books)	Price US
1BSE001	Amitabha Sutra	$8.00
1BSE121	Dharma Flower (Lotus) Sutra (1 set, 10 books)	$79.50
1BSE231	Flower Adornment (Avatamsaka) Sutra (1 set, 22 books)	$174.50
1BSE272	Flower Adornment (Avatamsaka) Sutra Prologue (1set, 4 book)	$38.00
1BSE371	Heart Sutra & Verses Withhout a Stand	$7.50
1BSE691	Shurangama Sutra (1 set, 7 books)	$59.50
1BSE692	Shurangama Sutra Vol.8: The Fifty Skandha-Demon States	$20.00
1BSE741	Sixth Patriarch Sutra (hard cover)	$15.00
1BSE742	Sixth Patriarch Sutra (soft cover)	$10.00
1BSE743	Sutra In Forty-two Sections	$5.00
1BSE744	Sutra of the Past Vows of Earth Store Bodhisattva (hard cover)	$16.00
1BSE746	Shastra on the Door to Understanding the Hundred Dharmas	$6.50
1BSE747	Song of Englightenment	$5.00
1BSE881	Vajra Prajna Paramita (Diamond) Sutra	$8.00
2BSE691	Sutra of the Past Vows of Earth Store Bodhisattva	$5.00

Code No.	Biographical	Price US
1BBE661	Records of High Sanghans	$7.00
1BBE662	Records of the Life of the Ven. Master Hua, Vol. 1	$5.00
1BBE663	Records of the Life of the Ven. Master Hua, Vol. 2	$8.00

編號 Code No.	中英雙語佛書 Bilingual Chinese/English Buddhist Books	冊數 No. of Vols.	版本 Edition	價格 Price US
1BBB001	虛雲老和尚畫傳集 Pictoorial Biography of the Ven. Master Hsu Yun	1	精裝 Hardcover	$15.00
1BBB002	虛雲老和尚畫傳集 Pictoorial Biography of the Ven. Master Hsu Yun	2	平裝 softcover	$16.00
1BBB003	宣化老和尚追思紀念專集（一） In Memory of the Ven. Master Hua's, Vol. 1	1	精裝 Hardcover	$25.00
1BBB004	宣化老和尚追思紀念專集（二） In Memory of the Ven. Master Hua's, Vol. 2	1	精裝 Hardcover	$35.00
1BBB005	宣化老和尚示寂週年暨萬佛聖城成立廿週年紀念專集 In Memory of the First Anniversary of the Nirvana of Ven. Master Hsuan Hua and the 20th Anniversary of the City of 10,000 Buddhas	1	精裝 Hardcover	$30.00
2BSB201	萬佛聖城日誦儀規 City of Ten Thousand Buddhaas Recitation Handbook	1	平裝 softcover	$7.00
2BSB202	初一 、十五佛前大供儀規 The Meal Offering Before the Buddhas for First and Fifteen of Lunar Month	1	平裝 softcover	$5.00
2BSB203	大悲懺本 Great Compassion Repentance	1	平裝 Softcover	$4.00
2BVB001	梵網經講錄 The Buddha Speaks the Brahma Net Sutra	2	平裝 softcover	$50.00
2BMB003	萬佛聖城成立廿週年 Celebrating the 20th Anniversary of the City of Ten Thoousand Buddhas	1	平裝 softcover	--

編號 Code No.	中英雙語佛書 Bilingual Chinese/English Buddhist Books	冊數 No. of Vols.	版本 Edition	價格 Price US
1BSB071	大方廣佛華嚴經序淺釋 Flower Adornment (Avatamsaka) Sutra Preface	1	平裝 softcover	$6.00
1BSB101	楞嚴經五十陰魔淺釋 The Shurangama Sutra: The Fifty Skandha-Demon States	1	精裝 Hardcover	$25.00
1BSB201	佛說四十二章經淺釋 The Sutra in Forty-two Sections Spoken by the Buddha	1	精裝 Hardcover	$12.00
1BKB001	宣化上人開示錄（一） Ven. Master Hua's Talks on Dharma, Vol. 1	1	平裝 softcover	$7.50
1BKB002	宣化上人開示錄（二） Ven. Master Hua's Talks on Dharma, Vol. 2	1	平裝 softcover	$7.50
1BKB003	宣化上人開示錄（三） Ven. Master Hua's Talks on Dharma, Vol. 3	1	平裝 softcover	$7.50
1BKB004	宣化上人開示錄（四） Ven. Master Hua's Talks on Dharma, Vol. 4	1	平裝 softcover	$7.50
1BKB005	宣化上人開示錄 一九九三訪臺開示 Ven. Master Hua's Talks on Dharma during the 1993 Trip to Taiwan	1	平裝 softcover	$10.00
1BKB006	十法界不離一念心 The Ten Dharma Realms Are Not Beyond A Single Thought	1	平裝 softcover	$7.50
1BKB007	正法的代表 （袖珍本） A Sure Sign of the Proper Dharma	1	平裝 softcover	$7.50
1BKB008	百年大事渾如夢 （袖珍本） The Great Events of One Hundred Years Are Hazy As If a Dream	1	平裝 softcover	$5.00
1BKB009	皈依的眞義 （袖珍本） The True Meaning of Taking Refuge	1	平裝 softcover	$7.50

編號	其他中文佛書	冊數	版本	價格US
2BKC005	佛教精進者的日記(一)（革新版）	1	平裝	$8.00
2BKC006	佛教精進者的日記(二)（革新版）	1	平裝	$8.00
2BKC007	佛教精進者的日記(三)（革新版）	1	平裝	$7.00
2BVC001	梵網經菩薩戒本	1	平裝	$10.00
2BVC002	梵網經菩薩戒本持犯集證類編	1	平裝	$3.00
2BVC003	優婆塞戒經講錄	1	平裝	$6.00
2BVC004	學佛行儀、五戒表解合訂本	1	平裝	$6.00
2BYC001	人之根（注音版）	1	平裝	$8.00
2BMC001	中國文學選讀	1	精裝	$20.00
BS001	大方廣佛華嚴經（經文）	12	精裝	$100.00
BS102	大佛頂首楞嚴經（經文注音）	1	精裝	$20.00
BS141	楞嚴咒疏	1	平裝	$10.00
BS151	大乘妙法蓮華經（經文注音）	1	精裝	$20.00
BS201	藥師法門彙編	4	套裝	$15.00
BK001	虛雲老和尚開示	1	平裝	$7.00
BM001	雷公炮製藥性賦	1	平裝	$5.00
BM002	新世紀飲食	1	平裝	$17.50

編號	事蹟傳記	冊數	版本	價格 US
1BBC001	再增訂佛祖道影	4	線裝	$50.00
1BBC003	宣化上人事蹟	1	平裝	$20.00
1BBC004	上宣下化老和尚略傳	1	平裝	$10.00
BB002	虛雲老和尚年譜	1	平裝	$6.00

編號	其他中文佛書	冊數	版本	價格 US
2BSC101	大佛頂首楞嚴經（經文注音）	1	袖珍本	$10.00
2BSC102	大佛頂首楞嚴經（經文）	2	線裝	$30.00
2BSC202	地藏經（經文漢語拼音）	1	精裝	$10.00
2BSC204	法滅盡經 （經文）	1	平裝	$4.00
2BSC205	誌公禪師因果經 （經文）	1	精裝	$12.00
2BSC206	九種經文合刊 （經文）	1	精裝	$12.00
2BSC207	普賢菩薩行願品等六經咒（經文）	1	平裝	$6.00
2BSC209	楞伽經註	2	平裝	$12.00
2BSC210	楞伽經會譯	4	平裝	$24.00
2BSC211	觀楞伽阿跋多羅寶經記	6	平裝	$36.00
2BSC141	楞嚴咒 （袖珍本）	1	摺疊本	$4.00
2BSC901	大乘起信論述記	1	平裝	$6.00
2BKC001	禪海十珍	1	平裝	$8.00
2BKC002	參禪要旨 （虛雲老和尚開示）	1	平裝	$7.00
2BKC003 ~~004	修行者的消息	2	平裝	$14.40

編號	宣化上人經典淺釋（中文佛書）	冊數	版本	價格US
1BSC901	大乘百法明門論淺釋	1	平裝	$6.00
1BVC001	佛遺教經淺釋	2	平裝	$15.00

編號	宣化上人開示（中文佛書）	冊數	版本	價格US
1BKC001 ~~002	宣化上人開示錄全集（六冊合訂）	2	精裝	$40.00
1BKC003 ~~004	宣化上人開示錄（五冊合訂）	2	精裝	$35.00
1BKC007 ~~012	宣化上人開示錄	6	平裝	$36.00
1BKC013	宣化上人開示錄一九九三訪臺開示	1	平裝	$7.50
1BKC014	人生要義 （革新版）	1	平裝	$8.00
1BKC015	歐洲弘法記	1	平裝	$8.00
1BKC017	春日蓮華	1	平裝	$8.00
1BKC018	宣化上人法語開示	1	平裝	$8.00
1BKC019	教育救國	1	平裝	$8.00
1BKC020	十法界不離一念心	1	平裝	$7.00
1BKC021	宣化上人偈讚錄（一）	1	平裝	$5.00
1BKC022	宣化上人偈讚闡釋錄	1	平裝	$5.00
1BKC023	萬佛聖城聯語集（一）	1	平裝	$4.00
1BKC024	放眼觀世界	1	平裝	$9.60
1BKC025	法界唯心	1	平裝	$7.00
1BKC026 ~~027	水鏡回天錄（正文）	2	精裝	$24.00
1BKJ001	春日蓮華（日文版）	1	平裝	$8.00

編號	宣化上人經典淺釋（中文佛書）	冊數	版本	價格 US
1BSC001	大方廣佛華嚴經淺釋	23	平裝	$173.00
1BSC002	華嚴經 ◆ 普賢菩薩行願品淺釋	1	平裝	$6.00
1BSC071	大方廣佛華嚴經疏序淺釋	1	平裝	$6.00
1BSC072	大方廣佛華嚴經疏淺釋	2	精裝	$32.00
1BSC101	大佛頂首楞嚴經淺釋	2	精裝	$40.00
1BSC102	楞嚴經 ◆ 大勢至菩薩念佛圓通章淺釋	1	平裝	$7.00
1BSC103	楞嚴經 ◆ 五十陰魔淺釋	1	精裝	$22.00
1BSC105	楞嚴經 ◆ 四種清淨明誨淺釋	1	平裝	$5.00
1BSC152	大乘妙法蓮華經淺釋	4	平裝	$30.00
1BSC153	法華經 ◆ 安樂行品淺釋	1	精裝	$12.00
1BSC155	法華經 ◆ 觀世音菩薩普門品淺釋	1	平裝	$6.00
1BSC201	佛說四十二章經淺釋	1	精裝	$11.50
1BSC203	金剛般若波羅蜜經淺釋	1	精裝	$12.00
1BSC204	金剛般若波羅蜜經淺釋	1	平裝	$7.00
1BSC205	般若波羅蜜多心經非台頌解	1	平裝	$6.00
1BSC206	藥師琉璃光如來本願功德經淺釋	1	精裝	$15.00
1BSC208	佛說阿彌陀經淺釋	1	精裝	$12.00
1BSC210	地藏菩薩本願經淺釋	1	精裝	$12.00
1BSC211	地藏菩薩本願經淺釋	3	精裝	$25.00
1BSC212	大悲心陀羅尼經淺釋（精裝）	1	精裝	$22.00
1BSC214	六祖法寶壇經淺釋（革新版）	2	精裝	$30.00
1BSC215	六祖法寶壇經淺釋	1	平裝	$8.00
1BSC216	永嘉大師證道歌淺釋	1	平裝	$6.00

法界佛教總會
佛經翻譯委員會

宣公上人法音宣流

中文佛經叢書、錄音帶目錄

印造佛經聖像之大利益

一、從前所作種種罪過，輕者立即消滅，重者亦得轉輕。

二、常得吉神擁護，一切瘟疫、水火、寇盜、刀兵、牢獄之災，悉皆不受。

三、夙生怨對，咸蒙法益而得解脫，永免尋仇報復之苦。

四、夜叉惡鬼，不能侵犯；毒蛇餓虎，不能爲害。

五、心得安慰，日無險事，夜無惡夢；顏色光澤，氣力充盛，所作吉利。

六、至心奉法，雖無希求，自然衣食豐足，家庭和睦，福壽綿長。

七、所言所行，人天歡喜；任到何方，常爲多眾傾誠愛戴，恭敬禮拜。

八、愚者轉智，病者轉健，困者轉亨；爲婦女者，報謝之日，捷轉男身。

九、永離惡道，受生善道；相貌端正，天資超越，福祿殊勝。

十、能爲一切眾生，種植善根；以眾生心，作大福田，獲無量勝果。所生之處，常得見佛聞法；直至三慧宏開，六通親證，速得成佛。

❁❁印造佛經，既有如此殊勝功德，故凡遇：祝壽、賀喜、免災、祈求、懺悔、薦拔之時，皆宜歡喜施捨，努力行之。

（以上節錄印光大師文鈔卷四印造經像之功德一文，欲知其詳情另查閱。）

宣化上人開示錄（一）

西曆一九九七年七月二十三日・革新版
佛曆三〇二四年六月十九日・觀世音菩薩成道日・恭印

發行人　法界佛教總會
創辦人　宣化上人
出　版　法界佛教總會／佛經翻譯委員會／法界佛教大學
地　址　1777 Murchison Drive
Burlingame, CA 94010-4504 U.S.A.
電　話　(415)692-5912

倡　印　萬佛聖城
地　址　2001 Talmage, CA 95481-0217 U.S.A.
電　話　(707)462-0939

ISBN-0-88139-282-0